Leonid Pasternak, Rilke in Moscow

MANUFACTURED IN THE UNITED STA
UNITED PRINTING SERVIC
NEW HAVEN, CON

PREFACE

The *Geschichten vom lieben Gott* seem especially well suited to serve as an introduction to Rilke. The stories are written in an easy and charming style, yet they are profound enough to arouse students' interest in the author and thus make them eager to read more of his works.

This edition aims to meet the needs of all grades. Accordingly, the vocabulary is complete and the notes supply translations and grammatical explanations, and serve as an aid in understanding the cultural background of the stories. The text should make acceptable reading for the third or fourth semester.

The editor is deeply indebted to her friend, helper, and teacher, Dr. Estelle Forchheimer, Professor emeritus of Hunter College, for her untiring assistance in supervising the English wording; likewise to Dr. Bayard Quincy Morgan, her one time colleague at the Middlebury Summer School of German, Professor emeritus of Stanford University, for his valuable criticism and suggestions.

E. C. W.

Upsala College
March 1957

ACKNOWLEDGMENTS

The portrait by Leonid Pasternak was copied from Max Osborn, *Leonid Pasternak*, Warsaw, 1932, with the permission of the late author.

The copies of Auguste Rodin, "The Hand of God," and Michelangelo, "Pietà" (Deposition from the Cross) are owed to the courtesy of the Metropolitan Museum of Art.

V. M. Wasnezow's "Blind Kobzars," was taken from N. S. Morgunov, *Wasnezow*, Moscow, 1940.

The photo "Kurgan" was copied from Walther Weibel, "Rußland," Munich, 1916.

CONTENTS

CONTENTS

INTRODUCTION

INTRODUCTION

THE LIFE OF RAINER MARIA RILKE

Rainer Maria Rilke was born in 1875 in Prague, at that time an Austrian city. His father, a minor state official, was ambitious to have his son become an officer in the Imperial Army. Therefore he sent him to a military academy, distasteful to the young boy, whose poetic nature was averse to war and violence. How much Rilke suffered during these years (1885 - 1890) can be learned from one of his early narratives, *Die Turnstunde* (1889), where he vents his hatred for his military educators.

After having left this school, Rilke was tutored privately. In 1894 he received his first degree (*Abiturium*) which entitled him to enroll at a university. In the following years he studied at the universities of Prague, Munich, and Berlin.

Rilke traveled extensively, not only in Germany, France, Italy, Switzerland, but also in Russia where he came to know Tolstoi and to admire the Russian people.

In 1900 Rilke moved to Worpswede, an artists' colony near Bremen. His experience there found its literary expression in a monograph, *Worpswede* (1903). At this time he married the gifted young sculptress, Clara Westhoff. Although they were never divorced, the relationship suffered from the poet's restlessness, his desire to live alone, and his inability to make a living for his family. Yet he was devoted to his wife and daughter, Ruth, who married Carl Sieber, one of Rilke's biographers.

In Paris Rilke made friends with the sculptor, Auguste Rodin, and became his private secretary. However the friendship did not last. For some years Rilke lived as a guest in the Castle of Duino on the Adriatic Sea. Here he wrote his main works, the *Duineser Elegien* (1923) and the *Sonette an Orpheus* (1923), both expressing the essence of Rilke's final philosophy. In his last years Rilke lived in Switzerland where he died, in 1926, from a blood disease. In accordance with his wish, he was buried in the cemetery of Raron, in the Rhone Valley.

SOME OF RILKE'S WORKS

Although Rainer Maria Rilke died over thirty years ago, he is still considered a modern author; perhaps more so than during his life. However, as is not uncommon with great creative minds, not even now is he interpreted the same by any two of his admirers or critics. One reason for this is that during his fifty-one years he developed so tremendously that each period of his writings presents, as it were, a different author.

Most popular in Germany today is one of his earliest creations, *Die Weise von Liebe und Tod des Cornets Christoph Rilke* (1907), although Rilke himself considered this his weakest work. This highly lyrical rhapsody was written in one night. The story, composed in both prose and poetry, tells of a young aristocrat who after his first encounter with love falls in battle.

Other early works of continued or revived popularity are *Erste Gedichte* (written 1894-1898) and *Das Buch der Bilder* (1902).

A group of poems entitled *Das Marienleben* (1912), marked by tender lyricism, have led some readers to believe that Rilke was an ardent Catholic. That the poet's religious attitude cannot be so simply defined is seen in his beautiful *Stundenbuch*, written from 1899 to 1901, more than ten years before the *Marienleben*. The complexity of his religion is even more clearly shown in his late and most mature works, above all in the *Duineser Elegien* and the

Sonette an Orpheus. These sonnets and elegies are very complicated and hard to understand, even for the Rilke specialist.

Hardly less difficult is the poet's great prose work, *Die Aufzeichnungen des Malte Laurids Brigge,* which was written in 1910 in Rome and conveys the author's conception of the world at that time. While this prose work tends to the complex ideas of the later Rilke as eventually embodied and expressed in the above mentioned *Elegien* and *Sonette,* it is possible to trace these thoughts back to their simpler beginnings, in his *Geschichten vom lieben Gott.* These, the poet wrote in a letter, comprise the nucleus of what developed into his ideology.

GESCHICHTEN VOM LIEBEN GOTT

These stories were published for the first time in 1900 under the title *Das Buch vom lieben Gott und Anderes* and, as indicated in the title-page, appeared as a book for children. However, it will not take the student long to realize that the book is anything but a children's reader.

From early childhood, Rilke had been occupied with thoughts about God, His existence, and his own attitude toward Him. "Ich kreise um Gott," he says in the *Stundenbuch,* my thoughts revolve about God. So they do in these stories. That God is everywhere, in all things, is shown in two of them: in the charming tale "Wie der Fingerhut dazu kam, der liebe Gott zu sein," and in "Von einem, der die Steine belauscht." In the first, children revere a thimble as a symbol of God; in the second, the reader watches Michelangelo creating his famous monument, "The Deposition from the Cross," thus calling God forth from the marble in which He is embedded.

Searching for the ways that lead to God, the poet follows the teachings of early Christians in adopting their glorification of poverty. "Warum der liebe Gott will, daß es arme Leute gibt" shows that God wants man to be poor since only paupers have retained their natural closeness to Him. "Das Lied von der Gerechtigkeit" expresses Rilke's belief that the poverty he has in mind is not only lack of material goods, but implies "poverty in spirit," as understood in the beatitudes of the Sermon on the Mount. That even a rich man may belong among those blessed poor and down-trodden is seen in the tender story "Eine Szene aus dem Ghetto von Venedig," with its impressive description of an old Jewish goldsmith living in the Jewish quarter of ancient Venice. Also the story "Der Bettler und das stolze Fräulein," points to the conception that poverty — even if only assumed — will lead to God and godliness.

According to Rilke, in these stories and elsewhere, another and even more direct way to God is through death. Death plays an essential role in the poet's philosophy. "Wie der alte Timofei singend starb" is an example of Rilke's conception of death. "Ein Märchen vom Tode und eine fremde Nachschrift dazu" is another expression of his attitude toward death as a part of life. This is also true for "Das Märchen von den Händen Gottes" and "Der fremde Mann" which interpret the death of Jesus as His return to God, thus indicating that man's death is his return to his starting-point, God.

The importance of the *Geschichten vom lieben Gott* is twofold. First they offer a kind of autobiography, being an original record of some of the author's early and most relevant experiences, such as his travels in Russia, France, and Italy. The overwhelming impression Russia made upon young Rilke can be felt in every line of the book: the vast expanse of Russian landscape, the simplicity of the Russian soul, the piety of the Russian peasant are reflected in the majority of the stories. Also the influence of Russian and Ukrainian literature, which the poet had studied while in Russia, is mirrored in stories like "Wie der Verrat nach Rußland kam" and "Das Lied von der Gerechtigkeit." Rodin's influence is felt in the fairy tale about God's hands, obviously inspired by the sculptor's conception of "The Lord's Hand" (cf. picture). Rilke's great love of Italy and his understanding of the Italian Renaissance are felt in several stories: in "Eine Szene aus dem Ghetto von Venedig," in "Von einem, der die Steine belauscht," in "Der Bettler und das stolze Fräulein," and last but not least in "Eine Geschichte, dem Dunkel erzählt."

In addition to the biographical and cultural value of the stories, they give the student an intimation of the poet's ideology, expressing as they do his early thoughts about matters which never ceased to occupy him and which reached their culmination in his late and most mature creations. In spite of the fact that Rilke's philosophy developed into a highly complex and intricate structure so that we feel a great distance between the works of his youth and those of his last phase, Rilke would never disavow his early creations. This is the sense of the dedication he wrote two years before his death, in one of his early books:

> ". . . . . wie war ich jung!
> Und nun seid ihr's. Oh seid's! Oh seid's!
> Ohne Bedenken, ohne Geiz.
> Ich bin es noch. Und bin sogar noch Kind.
> Fühlende bleiben, was sie fühlend sind."

GESCHICHTEN VOM LIEBEN GOTT

Meine Freundin, einmal habe ich dieses Buch
in Ihre Hände gelegt, und Sie haben es lieb
gehabt wie niemand vorher. So habe ich mich
daran gewöhnt, zu denken, dass es Ihnen gehört.
Dulden Sie deshalb, dass ich nicht allein in Ihr
eigenes Buch, sondern in alle Bücher dieser
neuen Ausgabe Ihren Namen schreibe; daß ich
schreibe:

Die Geschichten vom lieben Gott
gehören Ellen Key.

RAINER MARIA RILKE.

Rom, im April 1904.

DAS MÄRCHEN
VON DEN HÄNDEN GOTTES

DAS MÄRCHEN
VON DEN HÄNDEN GOTTES

Neulich, am Morgen, begegnete mir die Frau Nachbarin.[1]
Wir begrüßten uns.

„Was für ein Herbst!" sagte sie nach einer Pause und
blickte nach dem Himmel auf. Ich tat desgleichen. Der
Morgen war allerdings sehr klar und köstlich für Oktober.
Plötzlich fiel mir etwas ein: „Was für ein Herbst!" rief
ich und schwenkte ein wenig mit den Händen. Und die
Frau Nachbarin nickte beifällig. Ich sah ihr so einen Augenblick zu. Ihr gutes, gesundes Gesicht ging so lieb auf
und nieder. Es war recht hell, nur um die Lippen und an
den Schläfen waren kleine schattige Falten. Woher sie das
haben mag? Und da fragte ich ganz unversehens: „Und
Ihre kleinen Mädchen?" Die Falten in ihrem Gesicht
verschwanden eine Sekunde, zogen sich aber gleich, noch
dunkler, zusammen. „Gesund sind sie, Gott sei Dank,
aber—"; die Frau Nachbarin setzte sich in Bewegung, und
ich schritt jetzt an ihrer Linken,[2] wie es sich gehört. „Wissen Sie, sie sind jetzt beide in dem Alter, die Kinder, wo
sie den ganzen Tag fragen. Was, den ganzen Tag, bis in
die gerechte Nacht[3] hinein." „Ja," murmelte ich, — „es gibt
eine Zeit . . ." Sie aber ließ sich nicht stören: „Und nicht
etwa: Wohin geht diese Pferdebahn? Wieviel Sterne gibt
es? Und ist zehntausend mehr als viel? Noch ganz andere
Sachen! Zum Beispiel: Spricht der liebe Gott auch chine-
sisch? und: Wie sieht der liebe Gott aus? Immer alles vom
lieben Gott! Darüber weiß man doch nicht Bescheid —."
„Nein, allerdings," stimmte ich bei, „man hat da gewisse
Vermutungen . . ." „Oder von den Händen vom lieben
Gott, was soll man da—"

Auguste Rodin, The Hand of God
(Das Märchen von den Händen Gottes.)

Ich schaute der Nachbarin in die Augen: „Erlauben Sie," sagte ich recht höflich, „Sie sagten zuletzt die Hände vom lieben Gott — nicht wahr?" Die Nachbarin nickte. Ich glaube, sie war ein wenig erstaunt. „Ja" — beeilte ich mich anzufügen, — „von den Händen ist mir allerdings einiges bekannt. Zufällig" — bemerkte ich rasch, als ich ihre Augen rund werden sah — „ganz zufällig — ich habe— — — nun," schloß ich mit ziemlicher Entschiedenheit, „ich will Ihnen erzählen, was ich weiß. Wenn Sie einen Augenblick Zeit haben, ich begleite Sie bis zu Ihrem Hause, das wird gerade reichen."

„Gerne," sagte sie, als ich sie endlich zu Worte kommen ließ, immer noch erstaunt, „aber wollen Sie nicht vielleicht den Kindern selbst? . . ." „Ich den Kindern selbst erzählen? Nein, liebe Frau, das geht nicht, das geht auf keinen Fall. Sehen Sie, ich werde gleich verlegen, wenn ich mit den Kindern sprechen muß. Das ist an sich nicht schlimm. Aber die Kinder könnten meine Verwirrung dahin deuten, daß ich mich lügen fühle . . . Und da mir sehr viel an der Wahrhaftigkeit meiner Geschichte liegt — Sie können es den Kindern wiedererzählen; Sie treffen es ja gewiß auch viel besser. Sie werden es verknüpfen und ausschmücken, ich werde nur die einfachen Tatsachen in der kürzesten Form berichten. Ja?" „Gut, gut" machte die Nachbarin zerstreut.

Ich dachte nach: „Im Anfang . . ." aber ich unterbrach mich sofort. „Ich kann bei Ihnen, Frau Nachbarin, ja manches als bekannt voraussetzen, was ich den Kindern erst erzählen müßte. Zum Beispiel die Schöpfung . . ." Es entstand eine ziemliche Pause.[4] Dann: „Ja — — und am siebenten Tage . . ." die Stimme der guten Frau war hoch und spitzig. „Halt!" machte ich, „wir wollen doch auch der früheren Tage gedenken; denn gerade um diese handelt es sich. Also der liebe Gott begann, wie bekannt, seine Arbeit, indem er die Erde machte, diese vom Wasser unterschied und Licht befahl. Dann formte er in bewundernswerter Geschwindigkeit die Dinge, ich meine die großen, wirklichen Dinge, als da sind:[5] Felsen, Gebirge, einen Baum und nach diesem Muster viele Bäume." Ich hörte hier schon eine Weile lang Schritte hinter uns, die uns nicht überholten und auch nicht zurückblieben. Das störte mich, und ich verwickelte mich in der Schöpfungsgeschichte, als ich folgendermaßen fortfuhr: „Man kann sich diese schnelle und erfolgreiche Tätigkeit nur begreiflich machen, wenn man annimmt, daß eben nach langem, tiefem Nachdenken alles in seinem Kopfe ganz fertig war, ehe er . . ." Da endlich waren die Schritte neben uns, und eine nicht gerade angenehme Stimme klebte an uns: „O, Sie sprechen wohl von Herrn Schmidt, verzeihen Sie . . ." Ich sah ärgerlich nach der Hinzugekommenen, die Frau Nachbarin aber geriet in große Verlegenheit: „Hm," hustete sie, „nein — das heißt — ja, — wir sprachen gerade, gewissermaßen —." „Was für ein Herbst," sagte auf einmal die andere Frau, als ob nichts geschehen wäre, und ihr rotes, kleines Gesicht glänzte. „Ja" — hörte ich meine Nachbarin antworten: „Sie haben recht, Frau Hüpfer, ein selten schöner Herbst!" Dann trennten sich die Frauen. Frau Hüpfer kicherte noch: „Und grüßen Sie mir die Kinderchen."[6] Meine gute Nachbarin achtete nicht mehr darauf; sie war doch neugierig, meine Geschichte zu erfahren. Ich aber behauptete mit unbegreiflicher Härte: „Ja, jetzt weiß ich nicht mehr, wo wir stehengeblieben sind." „Sie sagten eben etwas von seinem Kopfe, das heißt —" die Frau Nachbarin wurde ganz rot.

Sie tat mir aufrichtig leid, und so erzählte ich schnell: „Ja sehen Sie also, solange nur die Dinge gemacht waren, hatte der liebe Gott nicht notwendig,[7] beständig auf die Erde herunterzuschauen. Es konnte sich ja nichts dort begeben. Der Wind ging allerdings schon über die Berge, welche den Wolken, die er schon seit langem kannte, so

ähnlich waren, aber den Wipfeln der Bäume wich er noch
mit einem gewissen Mißtrauen aus. Und das war dem lieben Gott sehr recht. Die Dinge hat er sozusagen im Schlafe[8]
gemacht; allein schon bei den Tieren fing die Arbeit an,
ihm interessant zu werden; er neigte sich darüber und zog
nur selten die breiten Brauen hoch, um einen Blick auf
die Erde zu werfen. Er vergaß sie vollends, als er den
Menschen formte. Ich weiß nicht, bei welchem kompli-
zierten Teil des Körpers er gerade angelangt war, als es
um ihn rauschte von Flügeln.[9] Ein Engel eilte vorüber und
sang: ‚Der du alles siehst . . .‘

Der liebe Gott erschrak. Er hatte den Engel in Sünde
gebracht, denn eben hatte dieser eine Lüge gesungen.
Rasch schaute Gottvater hinunter. Und freilich, da hatte
sich schon irgend etwas ereignet, was kaum gutzumachen
war. Ein kleiner Vogel irrte, als ob er Angst hätte, über
die Erde hin und her, und der liebe Gott war nicht imstande, ihm heimzuhelfen,[10] denn er hatte nicht gesehen,
aus welchem Walde das arme Tier gekommen war. Er
wurde ganz ärgerlich und sagte: ‚Die Vögel haben sitzen-
zubleiben, wo ich sie hingesetzt habe.‘ Aber er erinnerte
sich, daß er ihnen auf Fürbitte der Engel Flügel verliehen
hatte, damit es auch auf Erden so etwas wie Engel gäbe,
und dieser Umstand machte ihn nur noch verdrießlicher.
Nun ist gegen solche Zustände des Gemütes nichts so heilsam wie Arbeit. Und mit dem Bau des Menschen beschäftigt, wurde Gott auch rasch wieder froh. Er hatte die Augen
der Engel wie Spiegel vor sich, maß darin seine eigenen
Züge[11] und bildete langsam und vorsichtig an einer Kugel
auf seinem Schoße das erste Gesicht. Die Stirne war ihm
gelungen. Viel schwerer wurde es ihm, die beiden Nasen-
löcher symmetrisch zu machen. Er bückte sich immer mehr
darüber, bis es wieder wehte über ihm; er schaute auf.
Derselbe Engel umkreiste ihn; man hörte diesmal keine
Hymne, denn in seiner Lüge war dem Knaben die Stimme

erloschen, aber an seinem Mund erkannte Gott, daß er immer noch sang: ‚Der du alles siehst.' Zugleich trat der heilige Nikolaus,[12] der bei Gott in besonderer Achtung steht, an ihn heran und sagte durch seinen großen Bart hindurch: ‚Deine Löwen sitzen ruhig, sie sind recht hochmütige Geschöpfe, das muß ich sagen! Aber ein kleiner Hund läuft ganz am Rande der Erde herum, ein Terrier, siehst du, er wird gleich hinunterfallen.' Und wirklich merkte der liebe Gott etwas Heiteres, Weißes, wie ein kleines Licht hin und her tanzen in der Gegend von Skandinavien, wo es schon so furchtbar rund ist. Und er wurde recht bös und warf dem heiligen Nikolaus vor, wenn ihm seine Löwen nicht recht seien, so solle er versuchen, auch welche zu machen.[13] Worauf der heilige Nikolaus aus dem Himmel ging und die Türe zuschlug, daß ein Stern herunterfiel, gerade dem Terrier auf den Kopf. Jetzt war das Unglück vollständig, und der liebe Gott mußte sich eingestehen, daß er ganz allein an allem schuld sei, und beschloß, nicht mehr den Blick von der Erde zu rühren. Und so geschah's. Er überließ seinen Händen, welche ja auch weise sind, die Arbeit, und obwohl er recht neugierig war, zu erfahren, wie der Mensch wohl aussehen mochte, starrte er unablässig auf die Erde hinab, auf welcher sich jetzt, wie zum Trotz, nicht ein Blättchen regen wollte. Um doch wenigstens eine kleine Freude zu haben nach aller Plage, hatte er seinen Händen befohlen, ihm den Menschen erst zu zeigen, ehe sie ihn dem Leben ausliefern würden. Wiederholt fragte er, wie Kinder, wenn sie Verstecken spielen: ‚Schon?' Aber er hörte als Antwort das Kneten seiner Hände und wartete. Es erschien ihm sehr lange. Da auf einmal sah er etwas durch den Raum fallen, dunkel und in der Richtung, als ob es aus seiner Nähe käme. Von einer bösen Ahnung erfüllt, rief er seine Hände. Sie erschienen ganz von Lehm befleckt, heiß und zitternd. ‚Wo ist der Mensch?' schrie er sie an. Da fuhr die Rechte auf die Linke los: ‚Du hast ihn losgelassen!‘ ‚Bitte,‘ sagte die Linke gereizt, ‚du wolltest ja[14] alles allein machen, mich ließest du ja überhaupt gar nicht mitreden.‘ ‚Du hättest ihn eben halten müssen!‘ Und die Rechte holte aus. Dann aber besann sie sich, und beide Hände sagten einander überholend:[15] ‚Er war so ungeduldig, der Mensch. Er wollte immer schon leben. Wir können beide nichts dafür,[16] gewiß, wir sind beide unschuldig.‘

Der liebe Gott aber war ernstlich böse. Er drängte beide Hände fort; denn sie verstellten ihm die Aussicht über die Erde: ‚Ich kenne euch nicht mehr, macht, was ihr wollt.‘ Das versuchten die Hände auch seither, aber sie können nur beginnen, was sie auch tun. Ohne Gott gibt es keine Vollendung. Und da sind sie es[17] endlich müde geworden. Jetzt knien sie den ganzen Tag und tun Buße, so erzählt man wenigstens. Uns aber erscheint es, als ob Gott ruhte, weil er auf seine Hände böse ist. Es ist immer noch siebenter Tag.“

Ich schwieg einen Augenblick. Das benützte die Frau Nachbarin sehr vernünftig: „Und Sie glauben, daß nie wieder eine Versöhnung zustande kommt?“ „O doch,“ sagte ich, „ich hoffe es wenigstens.“

„Und wann sollte das sein?“

„Nun, bis Gott wissen wird, wie der Mensch, den die Hände gegen seinen Willen losgelassen haben, aussieht.“

Die Frau Nachbarin dachte nach, dann lachte sie: „Aber dazu hätte er doch bloß heruntersehen müssen...“ „Verzeihen Sie,“ sagte ich artig, „Ihre Bemerkung zeugt von Scharfsinn, aber meine Geschichte ist noch nicht zu Ende. Also, als die Hände beiseitegetreten waren und Gott die Erde wieder überschaute, da war eben wieder eine Minute, oder sagen wir ein Jahrtausend, was ja bekanntlich dasselbe ist,[18] vergangen. Statt eines Menschen gab es schon eine Million. Aber sie waren alle schon in Kleidern. Und da die Mode damals gerade sehr häßlich war und auch die Gesichter arg entstellte, so bekam Gott einen ganz falschen und (ich will es nicht verhehlen) sehr schlechten Begriff von den Menschen." „Hm," machte die Nachbarin und wollte etwas bemerken. Ich beachtete es nicht, sondern schloß mit starker Betonung: „Und darum ist es dringend notwendig, daß Gott erfährt, wie der Mensch wirklich ist. Freuen wir uns, daß es solche[19] gibt, die es ihm sagen . . ." Die Frau Nachbarin freute sich noch nicht: „Und wer sollte das sein, bitte?" „Einfach die Kinder und dann und wann auch diejenigen Leute, welche malen, Gedichte schreiben, bauen . . ." „Was denn bauen, Kirchen?" „Ja, und auch sonst, überhaupt . . ."

Die Frau Nachbarin schüttelte langsam den Kopf. Manches erschien ihr doch recht verwunderlich. Wir waren schon über ihr Haus hinausgegangen und kehrten jetzt langsam um. Plötzlich wurde sie sehr lustig und lachte: „Aber, was für ein Unsinn, Gott ist doch auch allwissend. Er hätte ja genau wissen müssen, woher zum Beispiel der kleine Vogel gekommen ist." Sie sah mich triumphierend an. Ich war ein bißchen verwirrt, ich muß gestehen. Aber als ich mich gefaßt hatte, gelang es mir, ein überaus ernstes Gesicht zu machen: „Liebe Frau," belehrte ich sie, „das ist eigentlich eine Geschichte für sich. Damit Sie aber nicht glauben, das sei nur eine Ausrede von mir (sie verwahrte sich nun natürlich heftig dagegen), will ich Ihnen in Kürze sagen: Gott hat alle Eigenschaften[20] natürlich. Aber ehe er in die Lage kam, sie auf die Welt — gleichsam — anzuwenden, erschienen sie ihm alle wie eine einzige große Kraft. Ich weiß nicht, ob ich mich deutlich ausdrücke. Aber angesichts der Dinge spezialisierten sich seine Fähigkeiten und wurden bis zu einem gewissen Grade: Pflichten. Er hatte Mühe, sich alle zu merken. Es gibt eben Konflikte. (Nebenbei: das alles sage ich nur Ihnen, und Sie müssen es den Kindern keineswegs wiedererzählen.)" „Wo denken Sie hin,"[21]beteuerte meine Zuhörerin.

„Sehen Sie, wäre ein Engel vorübergeflogen, singend:
‚Der du alles weißt,‘ so wäre alles gut geworden . . .“
„Und diese Geschichte wäre überflüsig?“
„Gewiß,“ bestätigte ich. Und ich wollte mich verabschie-
den. „Aber wissen Sie das alles auch ganz bestimmt?“[22]
„Ich weiß es ganz bestimmt,“ erwiderte ich fast feierlich.
„Da werde ich den Kindern heute zu erzählen haben!“[23]
„Ich würde es gerne anhören dürfen. Leben Sie wohl.“
„Leben Sie wohl,“ antwortete sie.
Dann kehrte sie nochmals zurück: „Aber weshalb ist
gerade dieser Engel . . .“ „Frau Nachbarin,“ sagte ich,
indem ich sie unterbrach, „ich merke jetzt, daß Ihre beiden
lieben Mädchen gar nicht deshalb soviel fragen, weil sie
Kinder sind —“ „Sondern?“ fragte meine Nachbarin neu-
gierig. „Nun, die Ärzte sagen, es gibt gewisse Verer-
bungen . . .“ Meine Frau Nachbarin drohte mir mit dem
Finger. Aber wir schieden dennoch als gute Freunde.

Als ich meiner lieben Nachbarin später (übrigens nach
ziemlich langer Pause) wieder einmal begegnete, war
sie nicht allein, und ich konnte nicht erfahren, ob sie ihren
Mädchen meine Geschichte berichtet hätte und mit welchem Erfolg. Über diesen Zweifel klärte mich ein Brief
auf, welchen ich kurz darauf empfing. Da ich von dem
Absender desselben[24] nicht die Erlaubnis erhalten habe, ihn
zu veröffentlichen, so muß ich mich darauf beschränken, zu
erzählen, wie er endete, woraus man ohne weiteres erkennen wird, von wem er stammte. Er schloß mit den Worten:
„Ich und noch fünf andere Kinder, nämlich[25] weil ich mit
dabei bin.“[26]
Ich antwortete, gleich nach Empfang, folgendes: „Liebe
Kinder, daß euch das Märchen von den Händen vom lieben Gott gefallen hat, glaube ich gern; mir gefällt es auch.
Aber ich kann trotzdem nicht zu euch kommen. Seid nicht
böse deshalb. Wer weiß, ob ich euch gefiele. Ich habe

keine schöne Nase, und wenn sie, was bisweilen vorkommt, auch noch ein rotes Pickelchen an der Spitze hat, so würdet ihr die ganze Zeit dieses Pünktchen anschauen und anstaunen und gar nicht hören, was ich ein Stückchen tiefer unten[27] sage. Auch würdet ihr wahrscheinlich von diesem Pickelchen träumen. Das alles wäre mir gar nicht recht. Ich schlage darum einen anderen Ausweg vor. Wir haben (auch außer der Mutter) eine große Anzahl gemeinsamer Freunde und Bekannte, die nicht Kinder sind. Ihr werdet schon erfahren, welche. Diesen werde ich von Zeit zu Zeit eine Geschichte erzählen, und ihr werdet sie von diesen Vermittlern immer noch schöner empfangen, als ich sie zu gestalten vermöchte. Denn es sind gar große Dichter unter diesen unseren Freunden. Ich werde euch nicht verraten, wovon meine Geschichten handeln werden. Aber, weil euch nichts so sehr beschäftigt und am Herzen liegt wie der liebe Gott, so werde ich an jeder passenden Gelegenheit einfügen, was ich von ihm weiß. Sollte etwas davon nicht richtig sein, so schreibt mir wieder einen schönen Brief, oder laßt es mir durch die Mutter sagen. Denn es ist möglich, daß ich mich an mancher Stelle irre, weil es schon so lange ist, seit ich die schönsten Geschichten erfahren habe, und weil ich seither mir viele habe merken müssen, die nicht so schön sind. Das kommt im Leben so mit.[28] Trotzdem ist das Leben etwas ganz Prächtiges: auch davon wird des öfteren in meinen Geschichten die Rede sein. Damit grüßt euch – Ich, aber auch nur deshalb Einer, weil ich mit dabei bin.“

DER FREMDE MANN

DER FREMDE MANN

Ein fremder Mann hat mir einen Brief geschrieben. Nicht von Europa schrieb mir der fremde Mann, nicht von Moses, weder von den großen noch von den kleinen Propheten, nicht vom Kaiser von Rußland oder dem Zaren Iwan, dem Grausen,[1] seinem fürchterlichen Vorfahren. Nicht vom Bürgermeister oder vom Nachbar Flickschuster, nicht von der nahen Stadt, nicht von den fernen Städten; und auch der Wald mit den vielen Rehen, darin[2] ich jeden Morgen mich verliere, kommt in seinem Briefe nicht vor. Er erzählt mir auch nichts von seinem Mütterchen oder von seinen Schwestern, die gewiß längst verheiratet sind. Vielleicht ist auch sein Mütterchen tot; wie könnte es sonst sein, daß ich sie in einem vierseitigen Briefe nirgends erwähnt finde! Er erweist mir ein viel, viel größeres Vertrauen; er macht mich zu seinem Bruder, er spricht mir von seiner Not.

Am Abend kommt der fremde Mann zu mir. Ich zünde keine Lampe an, helfe ihm den Mantel ablegen und bitte ihn, mit mir Tee zu trinken, weil das gerade die Stunde ist, in welcher ich täglich meinen Tee trinke. Und bei so nahen Besuchen muß man sich keinen Zwang auferlegen.[3] Als wir uns schon an den Tisch setzen wollen, bemerke ich, daß mein Gast unruhig ist; sein Gesicht ist voll Angst, und seine Hände zittern. „Richtig,"[4] sage ich, „hier ist ein Brief für Sie." Und dann bin ich dabei, den Tee einzugießen. „Nehmen Sie Zucker und vielleicht Zitrone? Ich habe in Rußland gelernt, den Tee mit Zitrone zu trinken. Wollen Sie versuchen?" Dann zünde ich eine Lampe an und stelle sie in eine entfernte Ecke, etwas hoch, so daß eigentlich Dämmerung bleibt im Zimmer, nur eine etwas wärmere als früher, eine rötliche. Und da scheint auch das Gesicht meines Gastes sicherer, wärmer und um vieles[5] bekannter zu sein. Ich begrüße ihn noch einmal mit den Worten: „Wissen Sie, ich habe Sie lange erwartet." Und ehe der Fremde Zeit hat zu staunen, erkläre ich ihm: „Ich weiß eine Geschichte, welche ich niemandem erzählen mag als Ihnen; fragen Sie mich nicht warum, sagen Sie mir nur, ob Sie bequem sitzen, ob der Tee genug süß[6] ist und ob Sie die Geschichte hören wollen." Mein Gast mußte lächeln. Dann antwortete er einfach: „Ja." „Auf alles drei: Ja?"[7] „Auf alles drei."

Wir lehnten uns beide zugleich in unseren Stühlen zurück, so daß unsere Gesichter schattig wurden.[8] Ich stellte mein Teeglas[9] nieder, freute mich daran, wie goldig der Tee glänzte, vergaß diese Freude langsam wieder und fragte plötzlich: „Erinnern Sie sich noch an den lieben Gott?"

Der Fremde dachte nach. Seine Augen vertieften sich ins Dunkel,[10] und mit den kleinen Lichtpunkten in den Pupillen glichen sie zwei langen Laubengängen in einem Parke, über welchem leuchtend und breit Sommer und Sonne liegt. Auch diese beginnen so, mit runder Dämmerung,[11] dehnen sich in immer engerer Finsternis bis zu einem fernen, schimmernden Punkt: dem jenseitigen Ausgang in einen vielleicht noch viel helleren Tag. Während ich das erkannte, sagte er zögernd und als ob er sich nur ungern seiner Stimme bediente: „Ja, ich erinnere mich noch an Gott." „Gut," dankte ich ihm, „denn gerade von ihm handelt meine Geschichte. Doch zuerst sagen Sie mir noch: Sprechen Sie bisweilen mit Kindern?" „Es kommt wohl vor, so im Vorübergehen, wenigstens —" „Vielleicht ist es Ihnen bekannt, daß Gott infolge eines häßlichen Ungehorsams seiner Hände nicht weiß, wie der fertige Mensch eigentlich aussieht?" „Das habe ich einmal irgendwo gehört, ich weiß indessen nicht von wem" — entgegnete mein Gast, und ich sah unbestimmte Erinnerungen über seine

Stirn jagen. „Gleichviel," störte ich ihn,[12] „hören Sie weiter. Lange Zeit ertrug Gott diese Ungewißheit. Denn seine Geduld ist wie seine Stärke groß. Einmal aber, als dichte Wolken zwischen ihm und der Erde standen viele Tage lang, so daß er kaum mehr wußte, ob er alles: Welt und Menschen und Zeit nicht nur geträumt hatte, rief er seine rechte Hand, die so lange von seinem Angesicht verbannt und verborgen gewesen war in kleinen unwichtigen Werken. Sie eilte bereitwillig herbei; denn sie glaubte, Gott wolle ihr endlich verzeihen. Als Gott sie so vor sich sah in ihrer Schönheit, Jugend und Kraft, war er schon geneigt, ihr zu vergeben. Aber rechtzeitig besann er sich und gebot, ohne hinzusehen: ‚Du gehst hinunter[13] auf die Erde. Du nimmst die Gestalt an, die du bei den Menschen siehst, und stellst dich, nackt, auf einen Berg, so daß ich dich genau betrachten kann. Sobald du unten ankommst, geh zu einer jungen Frau und sag ihr, aber ganz leise: Ich möchte leben. Es wird zuerst ein kleines Dunkel um dich sein und dann ein großes Dunkel, welches Kindheit heißt, und dann wirst du ein Mann sein und auf den Berg steigen, wie ich es dir befohlen habe. Das alles dauert ja[14] nur einen Augenblick.[15] Leb wohl.'

Die Rechte nahm von der Linken Abschied, gab ihr viele freundliche Namen, ja es wurde sogar behauptet, sie habe sich plötzlich vor ihr verneigt und gesagt: ‚Du, heiliger Geist.' Aber schon trat der heilige Paulus herzu, hieb dem lieben Gott die rechte Hand ab, und ein Erzengel fing sie auf und trug sie unter seinem weiten Gewand davon. Gott aber hielt sich mit der Linken die Wunde zu, damit sein Blut nicht über die Sterne ströme und von da in traurigen Tropfen herunterfiele auf die Erde. Eine kurze Zeit später bemerkte Gott, der aufmerksam alle Vorgänge unten betrachtete, daß die Menschen in den eisernen Kleidern sich um einen Berg mehr zu schaffen machten als um alle anderen Berge. Und er erwartete, dort seine Hand hinaufsteigen zu sehen. Aber es kam nur ein Mensch in einem, wie es schien, roten Mantel, welcher etwas schwarzes Schwankendes aufwärts schleppte. In demselben Augenblicke begann Gottes linke Hand, die vor seinem offenen Blute lag,[16] unruhig zu werden, und mit einem Mal verließ sie, ehe Gott es verhindern konnte, ihren Platz und irrte wie wahnsinnig zwischen den Sternen umher und schrie: ‚O, die arme rechte Hand, und ich kann ihr nicht helfen.‘ Dabei zerrte sie an Gottes linkem Arm, an dessen äußerstem Ende sie hing, und bemühte sich loszukommen. Die ganze Erde aber war rot vom Blute Gottes, und man konnte nicht erkennen, was darunter geschah. Damals wäre Gott fast gestorben. Mit letzter Anstrengung rief er seine Rechte zurück; sie kam blaß und bebend und legte sich an ihren Platz wie ein krankes Tier. Aber auch die Linke, die doch schon manches wußte, da sie die rechte Hand Gottes damals unten auf der Erde erkannt hatte, als diese in einem roten Mantel den Berg erstieg, konnte von ihr nicht erfahren, was sich weiter auf diesem Berge begeben hat. Es muß etwas sehr Schreckliches gewesen sein. Denn Gottes Rechte hat sich noch nicht davon erholt, und sie leidet unter ihrer Erinnerung nicht weniger als unter dem alten Zorne Gottes, der ja seinen Händen immer noch nicht verziehen hat." Meine Stimme ruhte ein wenig aus. Der Fremde hatte sein Gesicht mit den Händen verhüllt. Lange blieb alles so. Dann sagte der fremde Mann mit einer Stimme, die ich längst kannte: „Und warum haben Sie mir diese Geschichte erzählt?"

„Wer hätte mich sonst verstanden? Sie kommen zu mir ohne Rang, ohne Amt, ohne irgendeine zeitliche Würde,[17] fast ohne Namen. Es war dunkel, als Sie eintraten, allein ich bemerkte in Ihren Zügen eine Ähnlichkeit —" Der fremde Mann blickte fragend auf. „Ja," erwiderte ich seinem stillen Blick, „ich denke oft, vielleicht ist Gottes Hand wieder unterwegs . . ."

Die Kinder haben diese Geschichte erfahren, und offenbar wurde sie ihnen so erzählt, daß sie alles verstehen konnten; denn sie haben diese Geschichte lieb.

WARUM DER LIEBE GOTT WILL,
DAß ES ARME LEUTE GIBT

WARUM DER LIEBE GOTT WILL,
DAß ES ARME LEUTE GIBT

Die vorangehende Geschichte hat sich so verbreitet, daß
der Herr Lehrer[1] mit sehr gekränktem Gesicht auf der
Gasse herumgeht. Ich kann das begreifen. Es ist immer
schlimm für einen Lehrer, wenn die Kinder plötzlich etwas
wissen, was er ihnen nicht erzählt hat. Der Lehrer muß
sozusagen das einzige Loch in der Planke sein, durch
welches man in den Obstgarten sieht; sind noch andere
Löcher da, so drängen sich die Kinder jeden Tag vor einem
anderen und werden bald des Ausblicks überhaupt müde.
Ich hätte diesen Vergleich nicht hier aufgezeichnet, denn
nicht jeder Lehrer ist vielleicht damit einverstanden, ein
Loch zu sein; aber der Lehrer, von dem ich rede, mein
Nachbar, hat den Vergleich zuerst von mir vernommen
und ihn sogar als äußerst treffend bezeichnet. Und sollte
auch jemand anderer Meinung sein, die Autorität meines
Nachbars ist mir maßgebend.

Er stand vor mir, rückte beständig an seiner Brille[2] und
sagte: „Ich weiß nicht, wer den Kindern diese Geschichte
erzählt hat, aber es ist jedenfalls unrecht, ihre Phantasie
mit solchen ungewöhnlichen Vorstellungen zu überladen und
anzuspannen. Es handelt sich um eine Art Märchen —."
„Ich habe es zufällig erzählen hören," unterbrach ich ihn.
(Dabei log ich nicht, denn seit jenem Abend ist es mir
wirklich schon von meiner Frau Nachbarin wiederberichtet
worden.) „So," machte der Lehrer; er fand das leicht erklärlich. „Nun, was sagen Sie dazu?" Ich zögerte, auch
fuhr er sehr schnell fort: „Zunächst finde ich es unrecht,
religiöse, besonders biblische Stoffe frei und eigenmächtig
zu gebrauchen. Es ist das alles im Katechismus jedenfalls
so ausgedrückt, daß es besser nicht gesagt werden kann . . ."

Warum der liebe Gott will, daß es arme Leute gibt

Ich wollte etwas bemerken, erinnerte mich aber im letzten Augenblick, daß der Herr Lehrer „zunächst" gebraucht hatte, daß also jetzt nach der Grammatik und um der Gesundheit des Satzes willen ein „dann" und vielleicht sogar ein „und endlich" folgen mußte, ehe ich mir erlauben durfte, etwas anzufügen. So geschah es auch. Ich will, da der Herr Lehrer diesen selben Satz, dessen tadelloser Bau jedem Kenner Freude bereiten wird, auch anderen übermittelt hat, die ihn ebensowenig wie ich vergessen dürften,[3] hier nur noch das aufzeichnen, was hinter dem schönen, vorbereitenden Worte „Und endlich" wie das Finale einer Ouvertüre kam. „Und endlich . . . (die sehr phantastische Auffassung hingehen lassend) erscheint mir der Stoff gar nicht einmal genügend durchdrungen und nach allen Seiten hin berücksichtigt zu sein. Wenn ich Zeit hätte, Geschichten zu schreiben –" „Sie vermissen etwas in der bewußten Erzählung?" konnte ich mich nicht enthalten, ihn zu unterbrechen. „Ja, ich vermisse manches. Vom literarisch-kritischen Standpunkt gewissermaßen. Wenn ich zu Ihnen als Kollege sprechen darf –" Ich verstand nicht, was er meinte, und sagte bescheiden: „Sie sind zu gütig, aber ich habe nie eine Lehrtätigkeit . . ." Plötzlich fiel mir etwas ein, ich brach ab, und er fuhr etwas kühl fort: „Um nur eins zu nennen: es ist nicht anzunehmen,[4] daß Gott (wenn man schon auf den Sinn der Geschichte so weit eingehen will), daß Gott, also – sage ich – daß Gott keinen weiteren Versuch gemacht haben sollte, einen Menschen zu sehen, wie er ist, ich meine –" Jetzt glaubte ich den Herrn Lehrer wieder versöhnen zu müssen. Ich verneigte mich ein wenig und begann: „Es ist allgemein bekannt, daß Sie sich eingehend (und, wenn man so sagen darf, nicht ohne Gegenliebe zu finden)[5] der sozialen Frage genähert haben."[6] Der Herr Lehrer lächelte. „Nun, dann darf ich annehmen, daß, was ich Ihnen im folgenden[7] mitzuteilen gedenke, Ihrem Interesse nicht ganz ferne steht,[8] zumal ich ja auch an Ihre letzte, sehr scharfsinnige Bemerkung anknüpfen kann." Er sah mich erstaunt an: „Sollte Gott etwa . . ." „In der Tat," bestätigte ich, „Gott ist eben dabei, einen neuen Versuch zu machen." „Wirklich?" fuhr mich der Lehrer an, „ist das an maßgebender Stelle bekannt geworden?"[9] „Darüber kann ich Ihnen nichts Genaues sagen —" bedauerte ich — „ich bin nicht in Beziehung mit jenen Kreisen, aber wenn Sie dennoch meine kleine Geschichte hören wollen?" „Sie würden mir einen großen Gefallen erweisen." Der Lehrer nahm seine Brille ab und putzte sorgfältig die Gläser, während seine nackten Augen sich schämten.

Ich begann: „Einmal sah der liebe Gott in eine große Stadt. Als ihm von dem vielen Durcheinander die Augen ermüdeten (dazu trugen die Netze mit den elektrischen Drähten nicht wenig bei), beschloß er, seine Blicke auf ein einziges hohes Mietshaus für eine Weile zu beschränken, weil dieses weit weniger anstrengend war. Gleichzeitig erinnerte er sich seines alten Wunsches, einmal einen lebenden Menschen zu sehen, und zu diesem Zwecke tauchten seine Blicke ansteigend in die Fenster der einzelnen Stockwerke. Die Leute im ersten Stockwerke (es war ein reicher Kaufmann[10] mit Familie) waren fast nur Kleider. Nicht nur, daß alle Teile ihres Körpers mit kostbaren Stoffen bedeckt waren, die äußeren Umrisse[11] dieser Kleidung zeigten an vielen Stellen eine solche Form, daß man sah, es konnte kein Körper mehr darunter sein. Im zweiten Stock[12] war es nicht viel besser. Die Leute, welche drei Treppen[13] wohnten, hatten zwar schon bedeutend weniger an, waren aber so schmutzig, daß der liebe Gott nur graue Furchen erkannte und in seiner Güte schon bereit war, zu befehlen, sie möchten fruchtbar[14] werden. Endlich unter dem Dach, in einem schrägen Kämmerchen, fand der liebe Gott einen Mann in einem schlechten Rock, der sich damit beschäftigte, Lehm zu kneten. ‚Oho, woher hast du das?' rief er ihn an. Der Mann nahm seine Pfeife gar nicht aus dem Munde und brummte: ‚Der Teufel weiß woher. Ich wollte, ich wär Schuster geworden. Da sitzt man und plagt sich . . .‘ Und was der liebe Gott auch fragen mochte, der Mann war schlechter Laune[15] und gab keine Antwort mehr. — Bis er eines Tages einen großen Brief vom Bürgermeister dieser Stadt bekam. Da erzählte er dem lieben Gott, ungefragt, alles. Er hatte so lange keinen Auftrag bekommen. Jetzt, plötzlich, sollte er eine Statue für den Stadtpark machen, und sie sollte heißen: die Wahrheit. Der Künstler arbeitete Tag und Nacht in einem entfernten Atelier, und dem lieben Gott kamen verschiedene alte Erinnerungen, wie er das so sah.[16] Wenn er seinen Händen nicht immer noch böse gewesen wäre, er hätte wohl auch wieder irgendwas begonnen. — Als aber der Tag kam, da die Bildsäule, welche die Wahrheit hieß, hinausgetragen werden sollte, auf ihren Platz in den Garten, wo auch Gott sie hätte sehen können, in ihrer Vollendung, da entstand ein großer Skandal, denn eine Kommission von Stadtvätern,[17] Lehrern und anderen einflußreichen Persönlichkeiten hatte verlangt, die Figur müsse erst teilweise bekleidet werden, ehe das Publikum sie zu Gesicht bekäme. Der liebe Gott verstand nicht, weshalb, so laut fluchte der Künstler. Stadtväter, Lehrer und die anderen haben ihn in diese Sünde gebracht, und der liebe Gott wird gewiß an denen[18] — aber Sie husten ja fürchterlich!“ „Es geht schon vorüber —“ sagte mein Lehrer mit vollkommen klarer Stimme. „Nun, ich habe nur noch ein weniges zu berichten. Der liebe Gott ließ das Mietshaus und den Stadtpark los und wollte seinen Blick schon ganz zurückziehen, wie man eine Angelrute aus dem Wasser zieht, mit einem Schwung, um zu sehen, ob nicht etwas angebissen hat. In diesem Falle hing wirklich etwas daran. Ein ganz kleines Häuschen mit mehreren Menschen drinnen, die alle sehr wenig anhatten, denn sie waren sehr arm. ‚Das also ist es —,‘

dachte der liebe Gott, ‚arm müssen die Menschen sein. Diese hier sind, glaub ich, schon recht arm, aber ich will sie so arm machen, daß sie nicht einmal ein Hemd zum Anziehen haben.' So nahm sich der liebe Gott vor."

Hier machte ich beim Sprechen einen Punkt, um anzudeuten, daß ich am Ende sei. Der Herr Lehrer war damit nicht zufrieden; er fand diese Geschichte ebensowenig abgeschlossen und gerundet wie die vorhergehende. „Ja" — entschuldigte ich mich — „da müßte eben ein Dichter kommen, der zu dieser Geschichte irgendeinen phantastischen Schluß erfindet, denn tatsächlich hat sie noch kein Ende." „Wieso?" machte der Herr Lehrer und schaute mich gespannt an. „Aber, lieber Herr Lehrer," erinnerte ich, „wie vergeßlich Sie sind! Sie sind doch selbst im Vorstand des hiesigen Armenvereins . . ." „Ja, seit etwa zehn Jahren bin ich das und —?" „Das ist es eben; Sie und Ihr Verein verhindern den lieben Gott die längste Zeit,[19] sein Ziel zu erreichen. Sie kleiden die Leute —" „Aber ich bitte Sie," sagte der Lehrer bescheiden, „das ist einfach Nächstenliebe. Das ist doch Gott im höchsten Grade wohlgefällig." „Ach, davon ist man maßgebenden Orts wohl überzeugt?" fragte ich arglos. „Natürlich ist man das. Ich habe gerade in meiner Eigenschaft als Vorstandsmitglied des Armenvereins manches Lobende zu hören bekommen.[20] Vertraulich gesagt, man will auch bei der nächsten Beförderung meine Tätigkeit in dieser Weise — — — Sie verstehen?" Der Herr Lehrer errötete schamhaft. „Ich wünsche Ihnen das Beste," entgegnete ich. Wir reichten uns die Hände, und der Herr Lehrer ging mit so stolzen, gemessenen Schritten fort, daß ich überzeugt bin: er ist zu spät in die Schule gekommen.

Wie ich später vernahm, ist ein Teil dieser Geschichte (soweit[21] sie für Kinder paßt) den Kindern doch bekannt geworden. Sollte der Herr Lehrer sie zu Ende gedichtet haben?

WIE DER VERRAT NACH

RUßLAND KAM

WIE DER VERRAT NACH
RUßLAND KAM

Ich habe noch einen Freund hier in der Nachbarschaft.
Das ist ein blonder, lahmer Mann, der seinen Stuhl, winters
wie sommers, hart am Fenster hat. Er kann sehr jung
aussehen, ja in seinem lauschenden Gesicht ist manchmal
etwas Knabenhaftes. Aber es gibt auch Tage, da er altert,
die Minuten gehen wie Jahre über ihn, und plötzlich ist
er ein Greis, dessen matte Augen das Leben fast schon
losgelassen haben. Wir kennen uns lang.[1] Erst haben wir
uns immer angesehen, später lächelten wir unwillkürlich,
ein Jahr lang grüßten wir einander, und seit Gott weiß
wann erzählen wir uns das eine und das andere,[2] wahllos,
wie es eben passiert. „Guten Tag," rief er, als ich vorüberkam, und sein Fenster war noch offen in den reichen
und stillen Herbst hinaus. „Ich habe Sie lange nicht gesehen."

„Guten Tag, Ewald —." Ich trat an sein Fenster, wie
ich immer zu tun pflegte, im Vorübergehen. „Ich war
verreist." „Wo waren Sie?" fragte er mit ungeduldigen
Augen. „In Rußland." „O so weit" — er lehnte sich zurück,
und dann: „Was ist das für ein Land, Rußland? Ein sehr
großes, nicht wahr?" „Ja," sagte ich, „groß ist es und
außerdem —" „Habe ich dumm gefragt?" lächelte Ewald
und wurde rot. „Nein, Ewald, im Gegenteil. Da Sie fragen: was ist das für ein Land? wird mir verschiedenes
klar. Zum Beispiel woran Rußland grenzt." „Im Osten?"
warf mein Freund ein. Ich dachte nach: „Nein." "Im
Norden?" forschte der Lahme. „Sehen Sie," fiel mir ein,
„das Ablesen von der Landkarte hat die Leute verdorben.
Dort ist alles plan und eben, und wenn sie die vier Welt-

gegenden bezeichnet haben, scheint ihnen alles getan.
Ein Land ist doch aber kein Atlas. Es hat Berge und
Abgründe. Es muß doch auch oben und unten an etwas
stoßen." „Hm —" überlegte mein Freund, „Sie haben recht.
Woran könnte Rußland an diesen beiden Seiten grenzen?"
Plötzlich sah der Kranke wie ein Knabe aus. „Sie wissen
es," rief ich. „Vielleicht an Gott?" „Ja," bestätigte ich,
„an Gott." „So" — nickte mein Freund ganz verständnisvoll. Erst dann kamen ihm einzelne Zweifel: „Ist denn
Gott ein Land?" „Ich glaube nicht," erwiderte ich, „aber
in den primitiven Sprachen haben viele Dinge denselben
Namen. Es ist da wohl ein Reich, das heißt Gott, und
der es beherrscht, heißt auch Gott. Einfache Völker können ihr Land und ihren Kaiser oft nicht unterscheiden;
beide sind groß und gütig, furchtbar und groß."

„Ich verstehe," sagte langsam der Mann am Fenster.
„Und merkt man in Rußland diese Nachbarschaft?" „Man
merkt sie bei allen Gelegenheiten. Der Einfluß Gottes ist
sehr mächtig. Wieviel man auch aus Europa bringen mag,
die Dinge aus dem Westen sind Steine, sobald sie über die
Grenze sind. Mitunter kostbare Steine, aber eben nur für
die Reichen, die sogenannten ‚Gebildeten‘, während von
drüben aus dem anderen Reich das Brot kommt, wovon
das Volk lebt."[3] „Das hat das Volk wohl in Überfluß?"
Ich zögerte: „Nein, das ist nicht der Fall, die Einfuhr
aus Gott ist durch gewisse Umstände erschwert —" Ich
suchte ihn von diesem Gedanken abzubringen. „Aber man
hat vieles aus den Gebräuchen jener breiten Nachbarschaft
angenommen. Das ganze Zeremoniell beispielsweise. Man
spricht zu dem Zaren ähnlich wie zu Gott." „So, man sagt
also nicht: Majestät?" „Nein, man nennt beide Väterchen."[4] „Und man kniet vor beiden?" „Man wirft sich
vor beiden nieder, fühlt mit der Stirn den Boden und
weint und sagt: ‚Ich bin sündig, verzeih mir, Väterchen.‘
Die Deutschen, welche das sehen, behaupten: eine ganz

unwürdige Sklaverei. Ich denke anders darüber. Was soll das Knien bedeuten? Es hat den Sinn zu erklären: Ich habe Ehrfurcht.[5] Dazu genügt es auch, das Haupt zu entblößen, meint der Deutsche. Nun ja, der Gruß, die Verbeugung, gewissermaßen sind auch sie Ausdrücke dafür, Abkürzungen, die entstanden sind in den Ländern, wo nicht so viel Raum war, daß jeder sich hätte niederlegen können auf der Erde. Aber Abkürzungen gebraucht man bald mechanisch und ohne sich ihres Sinnes mehr bewußt zu werden. Deshalb ist es gut, wo noch Raum und Zeit dafür ist, die Gebärde auszuschreiben, das ganze schöne und wichtige Wort: Ehrfurcht."

„Ja, wenn ich könnte, würde ich auch niederknien —," träumte der Lahme. „Aber es kommt —" fuhr ich nach einer Pause fort — „in Rußland auch vieles andere von Gott. Man hat das Gefühl, jedes Neue wird von ihm eingeführt, jedes Kleid, jede Speise, jede Tugend und sogar jede Sünde muß erst von ihm bewilligt werden, ehe sie in Gebrauch kommt." Der Kranke sah mich fast erschrocken an. „Es ist nur ein Märchen, auf welches ich mich berufe," eilte ich ihn zu beruhigen, „eine sogenannte Bylina, ein Gewesenes[6] zu deutsch.[7] Ich will Ihnen kurz den Inhalt erzählen. Der Titel ist: Wie der Verrat nach Rußland kam." Ich lehnte mich ans Fenster, und der Gelähmte schloß die Augen, wie er gerne tat, wenn irgendwo eine Geschichte begann.

„Der schreckliche Zar Iwan[8] wollte den benachbarten Fürsten Tribut auferlegen und drohte ihnen mit einem großen Krieg, falls sie nicht Gold nach Moskau, in die weiße Stadt,[9] schicken würden. Die Fürsten sagten, nachdem sie Rat gepflogen hatten, wie ein Mann: ‚Wir geben dir drei Rätselfragen auf. Komm an dem Tage, den wir dir bestimmen, in den Orient, zu dem weißen Stein, wo wir versammelt sein werden, und sage uns die drei Lösungen. Sobald sie richtig sind, geben wir dir die zwölf

Tonnen Goldes, die du von uns verlangst.' Zuerst dachte
der Zar Iwan Wassiljewitsch[10] nach, aber es störten ihn
die vielen Glocken seiner weißen Stadt Moskau. Da rief
er seine Gelehrten und Räte vor sich, und jeden, der die
Frage nicht beantworten konnte, ließ er auf den großen,
roten Platz führen, wo gerade die Kirche für Wassilij, den
Nackten,[11] gebaut wurde, und einfach köpfen. Bei einer
solchen Beschäftigung verging ihm die Zeit so rasch, daß
er sich plötzlich auf der Reise fand nach dem Orient, zu
dem weißen Stein, bei welchem die Fürsten warteten. Er
wußte auf keine der drei Fragen etwas zu erwidern, aber
der Ritt war lang, und es war immer noch die Möglichkeit, einem Weisen zu begegnen; denn damals waren viele
Weise unterwegs auf der Flucht, da alle Könige die Gewohnheit hatten, ihnen den Kopf abschneiden zu lassen,
wenn sie ihnen nicht weise genug schienen. Ein solcher
kam ihm nun allerdings nicht zu Gesicht, aber an einem
Morgen sah er einen alten bärtigen Bauer, welcher an
einer Kirche baute. Er war schon dabei angelangt, den
Dachstuhl zu zimmern und die kleinen Latten darüberzu-
legen. Da war es nun recht verwunderlich, daß der alte
Bauer immer wieder von der Kirche heruntersstieg, um von
den schmalen Latten, welche unten aufgeschichtet waren,
jede einzeln zu holen, statt viele auf einmal in seinem
langen Kaftan[12] mitzunehmen. Er mußte so beständig auf
und nieder klettern, und es war gar nicht abzusehen, daß
er auf diese Weise überhaupt jemals alle vielhundert Latten an ihren Ort bringen würde. Der Zar wurde deshalb
ungeduldig: ‚Dummkopf,' schrie er (so nennt man in Rußland meistens die Bauern), ‚du solltest dich tüchtig be-
laden mit deinem Holz und dann auf die Kirche kriechen,
das wäre bei weitem einfacher.' Der Bauer, der gerade
unten war, blieb stehen, hielt die Hand über die Augen
und antwortete: ‚Das mußt du schon mir überlassen, Zar
Iwan Wassiljewitsch, jeder versteht sein Handwerk am

besten; indessen, weil du schon hier vorüberreitest, will ich dir die Lösung der drei Rätsel sagen, welche du am weißen Stein im Orient, gar nicht weit von hier, wirst wissen müssen.' Und er schärfte ihm die drei Antworten der Reihe nach ein. Der Zar konnte vor Erstaunen kaum dazu kommen, zu danken. ‚Was soll ich dir geben zum Lohne?' fragte er endlich. ‚Nichts,' machte der Bauer, holte eine Latte und wollte auf die Leiter steigen. ‚Halt,' befahl der Zar, ‚das geht nicht an, du mußt dir etwas wünschen.' ‚Nun, Väterchen, wenn du befiehlst, gib mir eine von den zwölf Tonnen Goldes, welche du von den Fürsten im Orient erhalten wirst.' ‚Gut —,' nickte der Zar. ‚Ich gebe dir eine Tonne Goldes.' Dann ritt er eilends davon, um die Lösungen nicht wieder zu vergessen.

Später, als der Zar mit den zwölf Tonnen zurückgekommen war aus dem Orient, schloß er sich in Moskau in seinen Palast, mitten im fünftorigen Kreml,[13] ein und schüttete eine Tonne nach der anderen auf die glänzenden Dielen des Saales aus, so daß ein wahrer Berg aus Gold entstand, der einen großen schwarzen Schatten über den Boden warf. In Vergeßlichkeit hatte der Zar auch die zwölfte Tonne ausgeleert. Er wollte sie wieder füllen, aber es tat ihm leid, so viel Gold von dem herrlichen Haufen wieder fortnehmen zu müssen. In der Nacht ging er in den Hof hinunter, schöpfte feinen Sand in die Tonne, bis sie zu drei Vierteilen[14] voll war, kehrte leise in seinen Palast zurück, legte Gold über den Sand und schickte die Tonne mit dem nächsten Morgen[15] durch einen Boten in die Gegend des weiten Rußland, wo der alte Bauer seine Kirche baute. Als dieser den Boten kommen sah, stieg er von dem Dach, welches noch lange nicht fertig war, und rief: ‚Du mußt nicht näher kommen, mein Freund, reise zurück samt deiner Tonne, welche drei Vierteile Sand und ein knappes Viertel Gold enthält; ich brauche sie nicht. Sage deinem Herrn, bisher hat es keinen Verrat in Ruß-

land gegeben. Er aber ist selbst daran schuld, wenn er
bemerken sollte, daß er sich auf keinen Menschen verlassen kann; denn er hat nunmehr gezeigt, wie man verrät,
und von Jahrhundert zu Jahrhundert wird sein Beispiel in
ganz Rußland viele Nachahmer finden. Ich brauche nicht
das Gold, ich kann ohne Gold leben. Ich erwartete nicht
Gold von ihm, sondern Wahrheit und Rechtlichkeit. Er
aber hat mich getäuscht. Sage das deinem Herrn, dem
schrecklichen Zaren Iwan Wassiljewitsch, der in seiner
weißen Stadt Moskau sitzt mit seinem bösen Gewissen und
in einem goldenen Kleid.'

Nach einer Weile Reitens wandte sich der Bote nochmals
um: der Bauer und seine Kirche waren verschwunden.
Und auch die aufgeschichteten Latten lagen nicht mehr
da, es war alles leeres, flaches Land. Da jagte der Mann
entsetzt zurück nach Moskau, stand atemlos vor dem Zaren und erzählte ihm ziemlich unverständlich, was sich
begeben hatte und daß der vermeintliche Bauer niemand
anderes gewesen sei als Gott selbst."

„Ob er wohl recht gehabt hat damit?" meinte mein
Freund leise, nachdem meine Geschichte verklungen war.

„Vielleicht –," entgegnete ich, „aber, wissen Sie, das
Volk ist – abergläubisch – indessen, ich muß jetzt gehen,
Ewald." „Schade," sagte der Lahme aufrichtig. „Wollen
Sie mir nicht bald wieder eine Geschichte erzählen?"
„Gerne, – aber unter einer Bedingung." Ich trat noch einmal ans Fenster heran. „Nämlich?" staunte Ewald. „Sie
müssen alles gelegentlich den Kindern in der Nachbarschaft weitererzählen," bat ich. „O, die Kinder kommen
jetzt so selten zu mir." Ich vertröstete ihn: „Sie werden
schon[16] kommen. Offenbar haben Sie in der letzten Zeit
nicht Lust gehabt, ihnen etwas zu erzählen, und vielleicht
auch keinen Stoff, oder zu viel Stoffe. Aber wenn einer
eine wirkliche Geschichte weiß, glauben Sie, das kann
verborgen bleiben? Bewahre, das spricht sich herum, be-

sonders unter den Kindern!" „ Auf Wiedersehen." Damit
ging ich.

Und die Kinder haben die Geschichte noch an demselben Tage gehört.

WIE DER ALTE TIMOFEI

SINGEND STARB

WIE DER ALTE TIMOFEI
SINGEND STARB

Was für eine Freude ist es doch, einem lahmen Menschen
zu erzählen. Die gesunden Leute sind so ungewiß; sie
sehen die Dinge bald von der, bald von jener Seite an,
und wenn man mit ihnen eine Stunde lang so gegangen
ist, daß sie zur Rechten waren, kann es geschehen, daß
sie plötzlich von links[1] antworten, nur, weil es ihnen ein-
fällt, daß das höflicher sei und von feinerer Bildung zeuge.
Beim Lahmen hat man das nicht zu befürchten. Seine
Unbeweglichkeit macht ihn den Dingen ähnlich, mit denen
er auch wirklich viele herzliche Beziehungen pflegt, macht
ihn, sozusagen, zu einem den anderen sehr überlegenen
Ding, zu einem Ding, das nicht nur lauscht mit seiner
Schweigsamkeit, sondern auch mit seinen seltenen leisen
Worten und mit seinen sanften, ehrfürchtigen Gefühlen.
Ich mag am liebsten meinem Freund Ewald erzählen.
Und ich war sehr froh, als er mir von seinem täglichen
Fenster[2] aus zurief: „Ich muß Sie etwas fragen."
Rasch trat ich zu ihm und begrüßte ihn. „Woher stammt
die Geschichte, die Sie mir neulich erzählt haben?" bat er[3]
endlich. „Aus einem Buch?" „Ja" — entgegnete ich traurig,
„die Gelehrten haben sie darin begraben, seit sie tot ist;
das ist gar nicht lange her. Noch vor hundert Jahren lebte
sie gewiß sehr sorglos, auf vielen Lippen. Aber die Worte,
welche die Menschen jetzt gebrauchen, diese schweren,
nicht sangbaren Worte, waren ihr feind und nahmen ihr
einen Mund nach dem anderen weg, so daß sie zuletzt,
nur sehr eingezogen und ärmlich, auf ein paar trockenen
Lippen, wie auf einem schlechten Witwengut, lebte. Dort
verstarb sie auch, ohne Nachkommen zu hinterlassen, und

wurde, wie schon erwähnt, mit allen Ehren in einem Buche bestattet,[4] wo schon andere aus ihrem Geschlechte lagen." „Und sie war sehr alt, als sie starb?" fragte mein Freund, auf meinen Ton eingehend. „400 bis 500 Jahre,"[5] berichtete ich der Wahrheit gemäß, „verschiedene von ihren Verwandten haben noch ein ungleich höheres Alter erreicht." „Wie, ohne jemals in einem Buche zu ruhen?" staunte Ewald. Ich erklärte: „Soviel ich weiß, waren sie die ganze Zeit von Lippe zu Lippe unterwegs." „Und haben nie geschlafen?" „Doch, von dem Munde des Sängers steigend, blieben sie wohl dann und wann in einem Herzen, darin[6] es warm und dunkel war." „Waren denn die Menschen so still, daß Lieder schlafen konnten in ihren Herzen?" Ewald schien mir recht ungläubig. „Es muß wohl so gewesen sein. Man behauptet, sie sprachen weniger, tanzten langsam anwachsende Tänze, die etwas Wiegendes hatten, und vor allem: sie lachten nicht laut, wie man es heute trotz der allgemeinen hohen Kultur nicht selten vernehmen kann."

Ewald schickte sich an, noch etwas zu fragen, aber er unterdrückte es und lächelte: „Ich frage und frage, — aber Sie haben vielleicht eine Geschichte vor?" Er sah mich erwartungsvoll an.

„Eine Geschichte? Ich weiß nicht. Ich wollte nur sagen: diese Gesänge waren das Erbgut in gewissen Familien. Man hatte es übernommen, und man gab es weiter, nicht ganz unbenützt, mit den Spuren eines täglichen Gebrauchs, aber doch unbeschädigt, wie etwa eine alte Bibel von Vätern zu Enkeln geht. Der Enterbte unterschied sich von den in ihre Rechte eingesetzten Geschwistern dadurch, daß er nicht singen konnte, oder er wußte wenigstens nur einen kleinen Teil der Lieder seines Vaters und Großvaters und verlor mit den übrigen Gesängen das große Stück Erleben, das alle diese Bylinen[7] und Skaski[8] dem Volke bedeuten. So hatte z. B. Jegor Timofejewitsch[9] gegen den Willen seines Vaters, des alten Timofei, ein junges, schönes Weib geheiratet und war mit ihr nach Kiew gegangen, in die heilige Stadt,[10] bei welcher sich die Gräber der größten Märtyrer der heiligen, rechtgläubigen Kirche versammelt haben. Der Vater Timofei, der als der kundigste Sänger auf zehn Tagereisen im Umkreis[11] galt, verfluchte seinen Sohn und erzählte seinen Nachbarn, daß er oft überzeugt sei, niemals einen solchen[12] gehabt zu haben. Dennoch verstummte er in Gram und Traurigkeit. Und er wies alle die jungen Leute zurück, die sich in seine Hütte drängten, um die Erben der vielen Gesänge zu werden, welche in dem Alten eingeschlossen waren wie in einer verstaubten Geige. ,Vater, du unser Väterchen, gib uns nur eines oder das andere Lied. Siehst du, wir wollen es in die Dörfer tragen, und du sollst es hören aus allen Höfen, sobald der Abend kommt und das Vieh in den Ställen ruhig geworden ist.' Der Alte, der beständig auf dem Ofen saß,[13] schüttelte den ganzen Tag den Kopf. Er hörte nicht mehr gut, und da er nicht wußte, ob nicht einer von den Burschen, die jetzt fortwährend sein Haus umhorchten,[14] eben wieder gefragt hatte, machte er mit seinem weißen Kopf zitternd: Nein, nein, nein, bis er einschlief und auch dann noch eine Weile — im Schlaf. Er hätte den Burschen gerne ihren Willen getan; es war ihm selber leid,[15] daß sein stummer, verstorbener Staub über diesen Liedern liegen sollte, vielleicht schon ganz bald. Aber hätte er versucht, einen von ihnen etwas zu lehren, gewiß hätte er sich dabei seines Jegoruschka[16] erinnern müssen und dann — wer weiß — was dann geschehen wäre. Denn nur, weil er überhaupt schwieg, hatte ihn niemand weinen sehen. Hinter jedem Wort stand es ihm, das Schluchzen, und er mußte immer sehr schnell und vorsichtig den Mund schließen, sonst wäre es einmal doch mitgekommen.

Wie der alte Timofei singend starb

Der alte Timofei hatte seinen einzigen Sohn Jegor von
ganz früh an[17] einzelne Lieder gelehrt, und als fünfzehn-
jähriger Knabe wußte dieser schon mehr und richtiger zu
singen als alle erwachsenen Burschen im Dorfe und in der
Nachbarschaft. Gleichwohl pflegte der Alte meistens am
Feiertag, wenn er etwas trunken war, dem Burschen zu
sagen: Jegoruschka, mein Täubchen,[18] ich habe dich schon
viele Lieder singen gelehrt, viele Bylinen und auch die Le-
genden von Heiligen, fast für jeden Tag eine. Aber ich bin,
wie du weißt, der Kundigste im ganzen Gouvernement,[19]
und mein Vater kannte sozusagen alle Lieder von ganz
Rußland und auch noch tatarische Geschichten[20] dazu.
Du bist noch sehr jung, und deshalb habe ich dir die
schönsten Bylinen,[21] darin[22] die Worte wie Ikone[23] sind
und gar nicht zu vergleichen mit den gewöhnlichen Worten, noch nicht erzählt, und du hast noch nicht gelernt,
jene Weisen zu singen, die noch keiner, er mochte ein Kosak
sein oder ein Bauer,[24] hat anhören können, ohne zu weinen.' Dieses wiederholte Timofei seinem Sohne an jedem
Sonntag und an allen vielen Feiertagen des russischen
Jahres,[25] also ziemlich oft. Bis dieser nach einem heftigen
Auftritt mit dem Alten, zugleich mit der schönen Ustjénka,[26] der Tochter eines armen Bauern, verschwunden war.
   Im dritten Jahre nach diesem Vorfall erkrankte Timofei,
zur selben Zeit, als einer jener vielen Pilgerzüge,[27] die aus
allen Teilen des weiten Reiches beständig nach Kiew ziehen, aufbrechen wollte. Da trat Ossip,[28] der Nachbar, bei
dem Kranken ein: ,Ich gehe mit den Pilgern, Timofei
Iwanitsch,[29] erlaube mir, dich noch einmal zu umarmen.'
Ossip war nicht befreundet mit dem Alten, aber nun, da
er diese weite Reise begann, fand er es für notwendig,
von ihm wie von einem Vater Abschied zu nehmen. ,Ich
habe dich manchmal gekränkt,' schluchzte er, ,verzeih mir,
mein Herzchen,[30] es ist im Trunke geschehen, und da kann
man nichts dafür, wie du weißt. Nun, ich will für dich

beten und eine Kerze anstecken für dich; leb wohl, Timofei
Iwanitsch, mein Väterchen, vielleicht wirst du wieder gesund, wenn Gott es will, dann singst du uns wieder etwas.
Ja, ja, das ist lange her, seit du gesungen hast. Was
waren das für Lieder. Das von Djuk Stepanowitsch[31] zum
Beispiel, glaubst du, ich habe das vergessen? Wie dumm
du bist! Ich weiß es noch ganz genau. Freilich, so wie
du, – du hast es eben gekonnt, das muß man sagen. Gott
hat dir das gegeben, einem anderen gibt er etwas anderes.
Mir zum Beispiel –'
Der Alte, der auf dem Ofen lag,[32] drehte sich ächzend
um und machte eine Bewegung, als ob er etwas sagen
wollte. Es war, als hörte man ganz leise den Namen Jegors.
Vielleicht wollte er ihm eine Nachricht schicken. Aber als
der Nachbar, von der Türe her, fragte: ‚Sagst du etwas,
Timofei Iwanitsch?' lag er schon wieder ganz ruhig da
und schüttelte nur leise seinen weißen Kopf. Trotzdem,
weiß Gott wie es geschah, kaum ein Jahr, nachdem Ossip
fortgegangen war, kehrte Jegor ganz unvermutet zurück. Der
Alte erkannte ihn nicht gleich, denn es war dunkel in der
Hütte, und die greisen Augen nahmen nur ungern eine
neue fremde Gestalt auf. Aber als Timofei die Stimme
des Fremden gehört hatte, erschrak er und sprang vom
Ofen herab auf seine alten, schwankenden Beine. Jegor
fing ihn auf, und sie hielten sich in den Armen. Timofei
weinte. Der junge Mensch fragte in einem fort: ‚Bist du
schon lange krank, Vater?' Als sich der Alte ein wenig
beruhigt hatte, kroch er auf seinen Ofen zurück und erkundigte sich in einem anderen strengen Ton: ‚Und dein
Weib?' Pause. Jegor spuckte aus: ‚Ich hab sie fortgejagt,
weißt du, mit dem Kind.' Er schwieg eine Weile. ‚Da
kommt einmal der Ossip zu mir; ‚Ossip Nikiphorowitsch?'[33]
sag ich. ‚Ja,' antwortet er, ‚ich bins.[34] Dein Vater ist krank,
Jegor. Er kann nicht mehr singen. Es ist jetzt ganz still
im Dorfe, als ob es keine Seele mehr hätte, unser Dorf.

Nichts klopft, nichts rührt sich, es weint niemand mehr, und auch zum Lachen ist kein rechter Grund.' Ich denke nach. Was ist da zu machen? Ich rufe also mein Weib. ,Ustjënka' — sag ich — , ,ich muß nach Hause, es singt sonst keiner mehr dort, die Reihe ist an mir.[35] Der Vater ist krank.' ,Gut,' sagt Ustjënka. ,Aber ich kann dich nicht mitnehmen' — so erklär ich ihr, ,der Vater, weißt du, will dich nicht. Und auch zurückkommen werd ich wahrscheinlich nicht zu dir, wenn ich erst einmal wieder dort bin und singe.' Ustjënka versteht mich: ,Nun, Gott mit dir! Es sind jetzt viele Pilger hier, da gibt es viel Almosen. Gott wird schon helfen, Jegor.' Und so geh ich also fort. Und nun, Vater, sag mir alle deine Lieder.'

Es verbreitete sich das Gerücht, daß Jegor zurückgekehrt sei und daß der alte Timofei wieder singe. Aber in diesem Herbst ging der Wind so heftig durch das Dorf, daß niemand von den Vorübergehenden mit Sicherheit ermitteln konnte, ob in Timofeis Hause wirklich gesungen werde oder nicht. Und die Tür wurde keinem Pochenden geöffnet. Die beiden wollten allein sein. Jegor saß am Rande des Ofens, auf welchem der Vater lag, und kam mit dem Ohr bisweilen dem Munde des Alten entgegen; denn dieser sang in der Tat. Seine alte Stimme trug, etwas gebückt und zitternd, alle die schönsten Lieder zu Jegor hin, und dieser wiegte manchmal den Kopf oder bewegte die herabhängenden Beine, ganz, als ob er schon selber sänge. Das ging so viele Tage lang fort. Timofei fand immer noch ein schöneres Lied in seiner Erinnerung; oft, nachts, weckte er den Sohn, und indem er mit den welken, zuckenden Händen ungewisse Bewegungen machte, sang er ein kleines Lied und noch eines und noch eines[36] — bis der träge Morgen sich zu rühren begann. Bald nach dem schönsten starb er. Er hatte sich in den letzten Tagen oft arg beklagt, daß er noch eine Unmenge Lieder in sich trüge und nicht mehr Zeit habe, sie seinem Sohne mitzuteilen. Er lag da mit gefurchter Stirne, in angestrengtem, ängstlichem Nachdenken, und seine Lippen zitterten vor Erwartung. Von Zeit zu Zeit setzte er sich auf, wiegte eine Weile den Kopf, bewegte den Mund, und endlich kam irgendein leises Lied hinzu; aber jetzt sang er meistens immer dieselben Strophen von Djuk Stepanowitsch, die er besonders liebte, und sein Sohn mußte erstaunt sein und tun, als vernähme er sie zum erstenmal, um ihn nicht zu erzürnen.

Als der alte Timofei Iwanitsch gestorben war, blieb das Haus, welches Jegor jetzt allein bewohnte, noch eine Zeitlang verschlossen. Dann, im ersten Frühjahr, trat Jegor Timofejewitsch, der jetzt einen ziemlich langen Bart hatte, aus seiner Tür, begann im Dorfe hin und her zu gehen und zu singen. Später kam er auch in die benachbarten Dörfer, und die Bauern erzählten sich schon, daß Jegor ein mindestens ebenso kundiger Sänger geworden sei wie sein Vater Timofei; denn er wußte eine große Anzahl ernster und heldenhafter Gesänge[37] und alle jene Weisen, die keiner, er mochte ein Kosak sein oder ein Bauer, anhören konnte, ohne zu weinen. Dabei soll er noch so einen sanften und traurigen Ton gehabt haben, wie man ihn noch von keinem Sänger vernommen hat. Und dieser Ton fand sich immer, ganz unerwartet, im Kehrreim vor, wodurch er besonders rührend wirkte. So habe ich wenigstens erzählen hören."

„Diesen Ton hat er also nicht von seinem Vater gelernt?" sagte mein Freund Ewald nach einer Weile. „Nein," erwiderte ich, „man weiß nicht, woher der ihm kam." Als ich vom Fenster schon fortgetreten war, machte der Lahme noch eine Bewegung und rief mir nach: „Er hat vielleicht an sein Weib und sein Kind gedacht. Übrigens, hat er sie nie kommen lassen, da ja sein Vater nun tot war?" „Nein, ich glaube nicht. Wenigstens ist er später allein gestorben."

DAS LIED

VON DER GERECHTIGKEIT

DAS LIED
VON DER GERECHTIGKEIT

Als ich das nächste Mal an Ewalds Fenster vorüberkam, winkte er mir und lächelte: "Haben Sie den Kindern etwas Bestimmtes versprochen?" „Wieso?" staunte ich. „Nun, als ich ihnen die Geschichte von Jegor erzählt hatte, beklagten sie sich, daß Gott in derselben[1] nicht vorkäme." Ich erschrak: „Was, eine Geschichte ohne Gott, aber wie ist denn das möglich?" Dann besann ich mich: „In der Tat, es ist wahr, von Gott sagt die Geschichte, wie ich sie mir jetzt überdenke, nichts. Ich begreife nicht, wie das geschehen konnte; hätte jemand von mir eine solche[2] verlangt, ich glaube, ich hätte mein ganzes Leben nachgedacht, ohne Erfolg . . ."

Mein Freund lächelte über diesen Eifer: „Sie müssen sich deshalb nicht erregen," unterbrach er mich mit einer gewissen Güte, „ich denke mir, man kann ja nie wissen, ob Gott in einer Geschichte ist, ehe man sie auch ganz beendet hat. Denn wenn auch nur noch zwei Worte fehlen sollten, ja selbst, wenn nur noch die Pause hinter dem letzten Worte der Erzählung aussteht: Er kann immer noch kommen." Ich nickte, und der Lahme sagte in anderem Ton: „Wissen Sie nicht noch etwas von diesen russischen Sängern?"

Ich zögerte: „Ja, wollen wir nicht lieber von Gott reden, Ewald?" Er schüttelte den Kopf: „Ich wünsche mir so, mehr von diesen eigentümlichen Männern zu vernehmen. Ich weiß nicht, wie es kommt, ich denke mir immer, wenn so einer hier bei mir einträte —" und er wandte den Kopf ins Zimmer nach der Türe zu. Aber seine Augen kehrten schnell und nicht ohne Verlegenheit zu mir zurück —

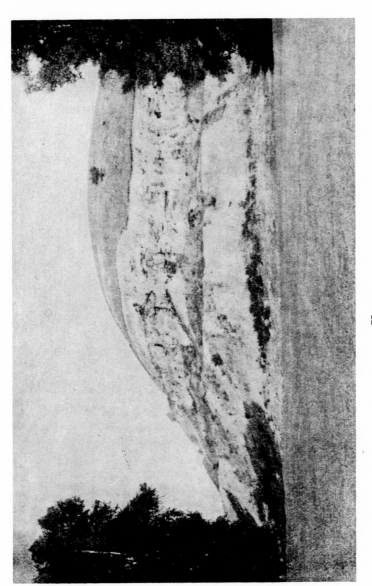

Kurgan
(Das Lied von der Gerechtigkeit)

„Doch das ist ja wohl nicht möglich," verbesserte er eilig.
„Warum sollte das nicht möglich sein, Ewald? Ihnen kann
manches begegnen, was den Menschen, die ihre Beine
brauchen können, verwehrt bleibt, weil sie an so vielem
vorübergehen und vor so manchem davonlaufen. Gott hat
Sie, Ewald, dazu bestimmt, ein ruhiger Punkt zu sein mitten in aller Hast. Fühlen Sie nicht, wie alles sich um Sie
bewegt? Die anderen jagen den Tagen nach, und wenn
sie mal einen erreicht haben, sind sie so atemlos, daß sie
gar nicht mit ihm sprechen können. Sie aber, mein Freund,
sitzen einfach an Ihrem Fenster und warten; und den
Wartenden geschieht immer etwas. Sie haben ein ganz
besonderes Los. Denken Sie, sogar die Iberische Madonna
in Moskau[3] muß aus ihrem Kapellchen heraus und fährt
in einem schwarzen Wagen mit vier Pferden zu denen,
die irgend etwas feiern, sei es die Taufe oder den Tod.
Zu Ihnen aber muß alles kommen —"

„Ja," sagte Ewald mit einem fremden Lächeln, „ich
kann sogar dem Tod nicht entgegengehen. Viele Menschen finden ihn unterwegs. Er scheut sich, ihre Häuser
zu betreten, und ruft sie hinaus in die Fremde, in den
Krieg, auf einen steilen Turm, auf eine schwankende
Brücke, in eine Wildnis oder in den Wahnsinn. Die meisten
holen ihn wenigstens draußen irgendwo ab und tragen ihn
dann auf ihren Schultern nach Hause, ohne es zu merken.
Denn der Tod ist träge; wenn die Menschen ihn nicht
fortwährend stören würden, wer weiß, er schliefe vielleicht
ein." Der Kranke dachte eine Weile nach und fuhr dann
mit einem gewissen Stolz fort: „Aber zu mir wird er kommen müssen, wenn er mich will. Hier in meine kleine
helle Stube, in der die Blumen sich so lange halten, über
diesen alten Teppich, an diesem Schrank vorbei, zwischen
Tisch und Bettende durch (es ist gar nicht leicht, vorüber-
zukommen) bis her an meinen breiten, lieben, alten Stuhl,
der dann wahrscheinlich mit mir sterben wird, weil er

sozusagen mit mir gelebt hat. Und er wird dies alles tun müssen in der üblichen Art, ohne Lärm, ohne etwas umzuwerfen, ohne etwas Ungewöhnliches zu beginnen, wie ein Besuch. Dieser Umstand bringt mir meine Stube merkwürdig nah. Es wird sich alles hier abspielen auf dieser engen Szene, und darum wird auch dieser letzte Vorgang sich nicht sehr von allen anderen Ereignissen unterscheiden, welche sich hier begeben haben und noch bevorstehen. Es hat mir immer schon als Kind seltsam geschienen, daß die Menschen vom Tode anders sprechen als von allen anderen Begebenheiten, und das nur deshalb, weil jeder von dem, was ihm nachher geschieht, nichts mehr verrät. Wodurch aber unterscheidet sich denn ein Toter von einem Menschen, welcher ernst wird, auf die Zeit verzichtet und sich einschließt,[4] um über etwas ruhig nachzudenken, dessen Lösung ihn lange schon quält? Unter den Leuten kann man sich doch nicht einmal des Vaterunsers erinnern, wie denn erst[5] irgendeines anderen dunkleren Zusammenhanges, der vielleicht nicht in Worten, sondern in Ereignissen besteht. Man muß abseits gehen in irgendeine unzugängliche Stille, und vielleicht sind die Toten solche, die sich zurückgezogen haben, um über das Leben nachzudenken."

Es entstand eine kleine Schweigsamkeit,[6] die ich mit folgenden Worten begrenzte: „ Ich muß dabei an ein junges Mädchen denken. Man kann sagen, daß sie in den ersten siebzehn Jahren ihres heiteren Lebens nur geschaut hat. Ihre Augen waren so groß und so selbständig, daß sie alles, was sie empfingen, selbst verbrauchten, und das Leben in dem ganzen Körper des jungen Geschöpfes ging, unabhängig davon, von schlichten, inneren Geräuschen genährt, vor sich. Am Ende dieser Zeit aber störte irgendein zu heftiges Ereignis dieses doppelte, kaum sich berührende Leben, die Augen brachen gleichsam nach innen durch, und die ganze Schwere des Äußeren fiel durch sie in das dunkle Herz hinein, und jeder Tag stürzte mit solcher Wucht in die tiefen, steilen Blicke, daß er in der engen Brust zersprang wie ein Glas. Da wurde das junge Mädchen blaß, begann zu kränkeln, einsam zu werden, nachzudenken, und endlich suchte es selbst jene Stille auf, darin die Gedanken wahrscheinlich nicht mehr gestört werden."

„Wie ist sie gestorben?" fragte mein Freund leise, mit etwas heiserer Stimme. „ Sie ist ertrunken. In einem tiefen, stillen Teich, und an der Oberfläche desselben entstanden viele Ringe, die langsam weit wurden und unter den weißen Wasserrosen hin wuchsen, so daß alle diese badenden Blüten sich bewegten."

„Ist das auch eine Geschichte?" sagte Ewald, um die Stille hinter meinen Worten nicht mächtig werden zu lassen. „Nein," entgegnete ich, „das ist ein Gefühl." „Aber könnte man es nicht auch den Kindern übermitteln — dieses Gefühl?" Ich überlegte. „Vielleicht —" „Und wodurch?" „Durch eine andere Geschichte." Und ich erzählte:

„Es war zur Zeit, als man im südlichen Rußland um die Freiheit kämpfte."

„Verzeihen Sie," sagte Ewald, „wie ist das zu verstehen — wollte sich das Volk etwa vom Zaren losmachen? Das würde nicht zu dem passen, was ich mir von Rußland denke, und auch mit Ihren früheren Erzählungen in Widerspruch stehen. In diesem Falle würde ich vorziehen, Ihre Geschichte nicht zu hören. Denn ich liebe das Bild, welches ich mir von den Dingen dort gemacht habe, und will es unbeschädigt behalten."

Ich mußte lächeln und beruhigte ihn: „Die polnischen Pans[7] (ich hätte das vorausschicken müssen) waren Herren im südlichen Rußland und in jenen stillen, einsamen Steppen, welche man mit dem Namen Ukraine bezeichnet. Sie waren harte Herren. Ihre Bedrückung und die Habgier der Juden, welche sogar den Kirchenschlüssel in Händen hatten, den sie nur gegen Bezahlung den Rechtgläubigen auslieferten,[8] hatte das jugendliche Volk um Kiew herum und den ganzen Dnjepr[9] aufwärts müde und nachdenklich gemacht. Die Stadt selbst, Kiew, das heilige,[10] der Ort, wo Rußland zuerst mit vierhundert Kirchenkuppeln von sich erzählte, versank immer mehr in sich selbst und verzehrte sich in Bränden[11] wie in plötzlichen, irren Gedanken, hinter denen die Nacht nur immer uferloser wird. Das Volk in der Steppe wußte nichte recht, was geschah. Aber von seltsamer Unruhe erfaßt, traten die Greise nachts aus den Hütten und betrachteten schweigend den hohen, ewig windlosen Himmel, und am Tage konnte man Gestalten auf dem Rücken der Kurgane[12] auftauchen sehen, die sich wartend vor der flachen Ferne erhoben. Diese Kurgane sind Grabstätten vergangener Geschlechter, die die ganze Heide wie ein erstarrter, schlafender Wellenschlag durchziehen. Und in diesem Land, in welchem die Gräber die Berge sind, sind die Menchen die Abgründe. Tief, dunkel, schweigsam ist die Bevölkerung, und ihre Worte sind nur schwache, schwankende Brücken über ihrem wirklichen Sein. — Manchmal heben sich dunkle Vögel von den Kurganen. Manchmal stürzen wilde Lieder in die dämmernden Menschen hinein und verschwinden in ihnen tief, während die Vögel im Himmel verloren gehen. Nach allen Richtungen hin scheint alles grenzenlos. Die Häuser selbst können nicht beschützen vor dieser Unermeßlichkeit; ihre kleinen Fenster sind voll davon. Nur in den dunkelnden Ecken der Stuben stehen die alten Ikone[13] wie Meilensteine Gottes, und der Glanz von einem kleinen Licht geht durch ihre Rahmen, wie ein verirrtes Kind durch die Sternennacht. Diese Ikone sind der einzige Halt, das einzige zuverlässige Zeichen am Wege, und kein Haus kann ohne sie bestehen. Immer wieder werden welche[14] notwendig; wenn eines zerbricht vor Alter und Wurm, wenn jemand heiratet und sich eine Hütte zimmert, oder wenn einer, wie zum Beispiel der alte Abraham, stirbt mit dem Wunsch, den heiligen Nikolaus, den Wundertäter, in den gefalteten Händen mitzunehmen, wahrscheinlich, um die Heiligen im Himmel mit diesem Bilde zu vergleichen und den besonders Verehrten[15] vor allen anderen zu erkennen.

So kommt es, daß Peter Akimowitsch, eigentlich Schuster von Beruf, auch Ikone malt. Wenn er von der einen Arbeit müde ist, geht er, nachdem er sich dreimal bekreuzt hat, zu der anderen über, und über seinem Nähen und Hämmern wie über seinem Malen waltet die gleiche Frömmigkeit.[16] Jetzt ist er schon ein alter Mann, aber doch ziemlich rüstig. Den Rücken, den er über die Stiefel biegt, richtet er vor den Bildern wieder gerade, und so hat er sich eine gute Haltung bewahrt und ein gewisses Gleichgewicht in den Schultern und im Kreuz. Den größten Teil seines Lebens hat er ganz allein verbracht, sich gar nicht hineinmischend in die Unruhe, die dadurch entstand, daß sein Weib Akulina ihm Kinder gebar und daß diese verstarben[17] oder sich verheirateten. Erst in seinem siebzigsten Jahre hatte Peter sich mit denen in Verbindung gesetzt, die in seinem Hause verblieben waren und die er nun erst als wirklich vorhanden betrachtete. Das waren: Akulina, sein Weib, eine stille, demütige Person, die sich fast ganz in den Kindern fortgegeben hatte, eine alternde, häßliche Tochter und Aljoscha, ein Sohn, welcher, unverhältnismäßig spät geboren, erst siebzehn Jahre zählte. Diesen wollte Peter für die Malerei heranbilden; denn er sah ein, daß er bald nicht allen Bestellungen würde entsprechen können. Aber er gab den Unterricht bald auf. Aljoscha hatte die allerheiligste Jungfrau gemalt aber das strenge[18] und richtige Vorbild so wenig erreicht, daß sein Machwerk aussah wie ein Bild der Mariana, der Tochter des Kosaken[19] Golokopytenko, also wie etwas durchaus Sündiges, und der alte Peter beeilte sich, nachdem er sich oft bekreuzt hatte, das beleidigte Brett[20] mit einem heiligen Dmitrij zu übermalen, welchen

er aus einem unbekannten Grunde über alle anderen Heiligen
stellte.

Aljoscha versuchte auch nie mehr ein Bild zu beginnen.
Wenn ihm der Vater nicht befahl, einen Nimbus zu vergolden, war er meistens draußen in der Steppe, kein Mensch
wußte wo. Niemand hielt ihn zu Hause. Die Mutter wun-
derte sich über ihn und hatte eine Scheu, mit ihm zu
reden, als ob er ein Fremder wäre oder ein Beamter. Die
Schwester hatte ihn geschlagen, solang er ein Kind war,
und jetzt, seit Aljoscha erwachsen war, begann sie ihn zu
verachten, dafür, daß er sie nicht schlug. Aber auch im
Dorfe war niemand, der sich um den Burschen kümmerte.
Mariana, die Kosakentochter, hatte ihn ausgelacht, als er
ihr erklärte, er wolle sie heiraten, und die anderen Mädchen
hatte Aljoscha nicht danach gefragt, ob sie ihn als Bräutigam
annehmen möchten. In die Ssetsch, zu den Zaporogern,[21]
hatte ihn keiner mitnehmen wollen, weil er allen zu schwächlich schien und vielleicht auch noch etwas zu jung. Einmal
war er schon davongelaufen bis zum nächsten Kloster, aber
die Mönche nahmen ihn nicht auf — und so blieb nur die
Heide für ihn, die weite, wogende Heide.[22] Ein Jäger hatte
ihm einmal ein altes Gewehr geschenkt, das weiß Gott
womit geladen war. Das schleppte Aljoscha immer mit,
schoß es aber niemals ab, erstens, weil er den Schuß sparen
wollte, und dann, weil er nicht wußte wofür. An einem
lauen, stillen Abend, zu Anfang des Sommers, saßen alle
beisammen an dem groben Tisch, auf welchem eine Schüssel
mit Grütze stand. Peter aß, und die anderen schauten ihm
zu und warteten auf das, was er übriglassen würde. Plötzlich ließ der Alte den Löffel in der Luft stehen und streckte
den breiten welken Kopf in den Lichtstreifen, der von der
Tür kam und quer über den Tisch in die Dämmerung lief.
Alle horchten. Es war außen an den Wänden der Hütte
ein Geräusch, wie wenn ein Nachtvogel mit seinen Flügeln
sachte die Balken streifte; aber die Sonne war kaum unter-

V. M. Wasnezow, Blind Kobzars
(Das Lied von der Gerechtigkeit)

gegangen, und die nächtlichen Vögel kamen ja überhaupt
selten bis ins Dorf. Und da war es wieder, als tappe
irgendein anderes großes Tier ums Haus und als wäre von
allen Wänden zugleich sein suchender Schritt vernehmbar.
Aljoscha erhob sich leise von seiner Bank, in demselben
Augenblick verdunkelte sich die Tür von etwas Hohem,
Schwarzem; es verdrängte den ganzen Abend,[23] brachte
Nacht in die Hütte und bewegte sich in seiner Größe nur unsicher vorwärts. ,Der Ostap!' sagte die Häßliche mit ihrer
bösen Stimme. Und jetzt erkannten ihn alle. Es war einer
von den blinden Kobzars,[24] ein Greis, der mit einer zwölf-
saitigen Bandura[25] durch die Dörfer ging und von dem
großen Ruhm der Kosaken, von ihrer Tapferkeit und Treue,
von ihren Hetmans[26] Kirdjaga, Kukubenko, Bulba[27] und
anderen Helden sang, so daß alle es gerne hörten. Ostap
verneigte sich dreimal tief in der Richtung, in der er das
Heiligenbild vermutete (und es war die Znamenskaja,[28] zu
der er sich so, unbewußt, wandte), setzte sich dann an
den Ofen und fragte mit leiser Stimme: ,Bei wem bin
ich eigentlich?' ,Bei uns, Väterchen, bei Peter Akimowitsch,
dem Schuster,' erwiderte Peter freundlich. Er war ein Freund
des Gesanges und freute sich dieses unerwarteten Besuches.[29] ,Ah, bei Peter Akimowitsch, dem, der die Bilder
malt,' sagte der Blinde, um auch eine Freundlichkeit zu
erweisen. Dann wurde es still. In den langen sechs Saiten
der Bandura begann ein Klang, wuchs und kam kurz und
gleichsam erschöpft von den sechs kurzen Saiten zurück,
und diese Wirkung wiederholte sich in immer rascheren
Takten, so daß man endlich die Augen schließen mußte,
in Angst, den Ton von der in rasendem Lauf erstiegenen
Melodie irgendwo hinabstürzen zu sehen; da brach das
Lied ab und gab der schönen, schweren Stimme des Kobzars
Raum, welche bald das ganze Hause erfüllte und auch aus
den benachbarten Hütten die Leute rief, die sich vor der
Türe und unter den Fenstern versammelten. Aber nicht

von Helden ging diesmal das Lied.[30] Schon ganz sicher
schien Bulbas[31] und Ostranitzas und Naliwaikos[32] Ruhm.
Für alle Zeiten fest schien die Treue der Kosaken. Nicht
von ihren Taten ging[33] heute das Lied. Tiefer zu schlafen
schien in allen, welche es vernahmen, der Tanz; denn
keiner rührte die Beine oder hob die Hände empor. Wie
Ostaps Kopf, so waren auch die anderen Köpfe gesenkt
und wurden schwer von dem traurigen Lied:

,Es ist keine Gerechtigkeit mehr in der Welt.[34] Die
Gerechtigkeit, wer kann sie finden? Es ist keine Gerech-
tigkeit mehr in der Welt; denn alle Gerechtigkeit ist den
Gesetzen der Ungerechtigkeit unterstellt.

,Heut ist die Gerechtigkeit elend in Fesseln. Und das
Unrecht lacht über sie, wir sahns,[35] und sitzt mit den
Pans[36] in den goldenen Sesseln und sitzt in dem goldenen
Saal mit den Pans.

,Die Gerechtigkeit liegt an der Schwelle und fleht; bei
den Pans ist das Unrecht, das Schlechte, zu Gast, und
sie laden es lachend in ihren Palast, und sie schenken dem
Unrecht den Becher voll Met.

,O, Gerechtigkeit, Mütterchen, Mütterchen mein,[37] mit
dem Fittich, der jenem des Adlers gleicht, es kommt vielleicht noch ein Mann, der gerecht, der gerecht sein will,
dann helfe ihm Gott, Er vermag es allein, und macht dem
Gerechten die Tage leicht.'

Und die Köpfe hoben sich nur mühsam, und auf allen
Stirnen stand Schweigsamkeit; das erkannten auch die,
welche reden wollten. Und nach einer kleinen, ernsten
Stille begann wieder das Spiel auf der Bandura, diesmal
schon besser verstanden von der immer wachsenden Menge.
Dreimal sang Ostap sein Lied von der Gerechtigkeit. Und
es war jedesmal ein anderes. War es zum erstenmal Klage,
so erschien es bei der Wiederholung Vorwurf, und endlich,
da der Kobzar es zum drittenmal mit hocherhobener Stirne

wie eine Kette kurzer Befehle rief, da brach ein wilder
Zorn aus den zitternden Worten und erfaßte alle und riß
sie hin in eine breite und zugleich bange Begeisterung.
‚Wo sammeln sich die Männer?' fragte ein junger Bauer,
als der Sänger sich erhob. Der Alte, der von allen Bewegungen der Kosaken unterrichtet war, nannte einen nahen
Ort. Schnell zerstreuten sich die Männer, man hörte kurze
Rufe, Waffen rührten sich, und vor den Türen weinten
die Weiber. Eine Stunde später zog ein Trupp Bauern,
bewaffnet, aus dem Dorfe gegen Tschernigof zu. Peter hatte
dem Kobzar ein Glas Most angeboten in der Hoffnung,
mehr von ihm zu erfahren. Der Alte saß, trank, gab aber
nur kurze Antworten auf die vielen Fragen des Schusters.
Dann dankte er und ging. Aljoscha führte den Blinden
über die Schwelle. Als sie draußen waren in der Nacht und
allein, bat Aljoscha:[38] ‚Und dürfen alle mitgehen in den
Krieg?'[39] ‚Alle,' sagte der Alte und verschwand rascher
ausschreitend, als ob er sehend würde in der Nacht.

Als alle schliefen, erhob sich Aljoscha vom Ofen, wo
er in den Kleidern gelegen hatte, nahm sein Gewehr und
ging hinaus. Draußen fühlte er sich mit einem Male umarmt
und sanft aufs Haar geküßt. Gleich darauf erkannte er
im Mondlicht Akulina, die eilig und trippelnd auf das
Haus zulief. ‚Mutter?!' staunte er, und es wurde ihm ganz
eigentümlich zumut. Er zögerte eine Weile. Eine Tür ging[40]
irgendwo, und ein Hund heulte in der Nähe. Da warf
Aljoscha sein Gewehr über die Schulter und schritt stark
aus, denn er gedachte die Männer noch vor Morgen ein-
zuholen. Im Hause aber taten alle, als ob sie Aljoschas
Fehlen nicht bemerkten. Nur als sie sich wieder zu Tische
setzten und Peter den leeren Platz gewahrte, stand er noch
einmal auf, ging in die Ecke und zündete eine Kerze an
vor der Znamenskaja.[41] Eine ganz dünne Kerze. Die Häßliche zuckte mit den Achseln.

Indessen ging Ostap, der blinde Greis, schon durch das nächste Dorf und begann traurig und mit sanfter klagender Stimme den Gesang von der Gerechtigkeit."

Der Lahme wartete noch eine Weile. Dann sah er mich erstaunt an: „Nun, weshalb schließen Sie nicht? Es ist doch wie in der Geschichte vom Verrat. Dieser Alte war Gott."

„O, und ich habe es nicht gewußt," sagte ich erschauernd.

EINE SZENE

AUS DEM GHETTO VON VENEDIG

EINE SZENE

AUS DEM GHETTO VON VENEDIG

Herr Baum, Hausbesitzer, Bezirksobmann,[1] Ehrenoberster der freiwilligen Feuerwehr und noch verschiedenes andere, aber, um es kurz zu sagen: Herr Baum muß eines meiner Gespräche mit Ewald belauscht haben. Es ist kein Wunder; ihm gehört das Haus, darin[2] mein Freund zu ebener Erde wohnt. Herr Baum und ich, wir kennen uns längst vom Sehen. Neulich aber bleibt der Bezirksobmann stehen, hebt ein wenig den Hut, so daß ein kleiner Vogel hätte ausfliegen können,[3] im Falle einer drunter gefangen gewesen wäre. Er lächelt höflich und eröffnet unsere Bekanntschaft: „Sie reisen manchmal?" „O ja —," erwiderte ich, etwas zerstreut, „das kann wohl sein." Nun fuhr er vertraulich fort: „Ich glaube, wir sind die beiden einzigen hier, die in Italien waren."[4] „So —," ich bemühte mich etwas aufmerksamer zu sein —, „ja, dann ist es allerdings dringend notwendig, daß wir miteinander reden."

Herr Baum lachte. „Ja, Italien — das ist doch noch etwas. Ich erzähle immer meinen Kindern — zum Beispiel nehmen Sie Venedig!" Ich blieb stehen: „Sie erinnern sich noch Venedigs?" „Aber, ich bitte Sie," stöhnte er, denn er war etwas zu dick, um sich mühelos zu entrüsten, — „Wie sollte ich nicht — wer das einmal gesehen hat — diese Piazzetta[5] — nicht wahr?" „Ja," entgegnete ich, „ich erinnere mich besonders gern der Fahrt durch den Kanal,[6] dieses leisen lautlosen Hingleitens am Rande von Vergangenheiten." „Der Palazzo Franchetti," fiel ihm ein. „Die Cà Doro,"[7] — gab ich zurück. „Der Fischmarkt —" „Der Palazzo Vendramin —" „Wo Richard Wagner"[8] — fügte er rasch als ein gebildeter Deutscher hinzu. Ich nickte. „Den Ponte,[9] wissen Sie?" Er lächelte mit Orientierung:[10] „Selbstverständlich, und das Museum, die Akademie nicht zu vergessen, wo ein Tizian . . ."

So hat sich Herr Baum einer Art Prüfung unterzogen, die etwas anstrengend war. Ich nahm mir vor, ihn durch eine Geschichte zu entschädigen. Und begann[11] ohne weiteres:

„Wenn man unter dem Ponte di Rialto hindurchfährt, an dem Fondaco de' Turchi[12] und an dem Fischmarkt vorbei, und dem Gondolier[13] sagt: ‚Rechts!‘ so sieht er etwas erstaunt aus und fragt wohl gar ‚Dove?‘ Aber man besteht darauf, nach rechts zu fahren, und steigt in einem der kleinen schmutzigen Kanäle aus, handelt mit ihm, schimpft[14] und geht durch gedrängte Gassen und schwarze verqualmte Torgänge auf einen leeren freien Platz hinaus. Alles das einfach aus dem Grunde, weil dort meine Geschichte handelt." Herr Baum berührte mich sanft am Arm: „Verzeihen Sie, welche Geschichte?" Seine kleinen Augen gingen etwas beängstigt hin und her.

Ich beruhigte ihn: „Irgendeine, verehrter Herr, keine irgendwie nennenswerte. Ich kann Ihnen auch nicht sagen, wann sie geschah. Vielleicht unter dem Dogen Alvise Moncenigo IV.,[15] aber es kann auch etwas früher oder später gewesen sein. Die Bilder von Carpaccio,[16] wenn Sie solche[17] gesehen haben sollten, sind wie auf purpurnem Samt gemalt, überall bricht etwas Warmes, gleichsam Waldiges durch, und um die gedämpften Lichter darin drängen sich horchende Schatten. Giorgione[18] hat auf mattem, alterndem Gold, Tizian auf schwarzem Atlas gemalt, aber in der Zeit, von der ich rede, liebte man lichte Bilder, auf einen Grund von weißer Seide gesetzt, und der Name, mit dem man spielte, den schöne Lippen in die Sonne warfen und den reizende Ohren auffingen, wenn er zitternd niederfiel, dieser Name ist Gian Battista Tiepolo.[19]

Aber das alles kommt in meiner Geschichte nicht vor. Es geht nur das wirkliche Venedig an, die Stadt der Paläste,

der Abenteuer, der Masken[20] und der blassen Lagunen-
nächte, die wie keine anderen Nächte sonst[21] den Ton
von heimlichen Romanzen[22] tragen. — In dem Stück Venedig,
von dem ich erzähle, sind nur arme tägliche Geräusche,
die Tage gehen gleichförmig darüber hin, als ob es nur ein
einziger wäre, und die Gesänge, die man dort vernimmt,
sind wachsende Klagen, die nicht aufsteigen und wie ein
wallender Qualm über den Gassen lagern. Sobald es däm-
mert, treibt sich viel scheues[23] Gesindel dort herum, un-
zählige Kinder haben ihre Heimat auf den Plätzen und
in den engen kalten Haustüren und spielen mit Scherben
und Abfällen von buntem Glasfluß,[24] demselben, aus dem
die Meister die ernsten Mosaiken[25] von San Marco fügten.
Ein Adeliger kommt selten in das Ghetto. Höchstens zur
Zeit, wenn die Judenmädchen zum Brunnen kommen, kann
man manchmal eine Gestalt, schwarz, im Mantel und mit
Maske[26] bemerken. Gewisse Leute wissen aus Erfahrung,
daß diese Gestalt einen Dolch in den Falten verborgen
trägt. Jemand will einmal im Mondlicht das Gesicht des
Jünglings gesehen haben,[27] und es wird seither behauptet,
dieser schwarze, schlanke Gast sei Marcantonio Priuli, Sohn
des Proveditore[28] Nicolò Priuli und der schönen Catharina
Minelli. Man weiß, er wartet unter dem Torweg des Hauses
von Isaak Rosso, geht dann, wenn es einsam wird, quer
über den Platz und tritt bei dem alten Melchisedech ein,
dem reichen Goldschmied, der viele Söhne und sieben
Töchter und von den Söhnen und Töchtern viele Enkel hat.
Die jüngste Enkelin, Esther, erwartet ihn, an den greisen
Großvater geschmiegt, in einem niederen, dunklen Gemach,
in welchem vieles glänzt und glüht, und Seide und Samt
hängt sanft über den Gefäßen, wie um ihre vollen, goldenen
Flammen zu stillen. Hier sitzt Marcantonio auf einem sil-
bergestickten Kissen, dem greisen Juden zu Füßen und erzählt von Venedig, wie von einem Märchen, das es nirgendwo
jemals ganz so gegeben hat. Er erzählt von den Schauspielen,

von den Schlachten des venezianischen Heeres, von fremden Gästen, von Bildern und Bildsäulen, von der „Sensa" am Himmelfahrtstage,[29] von dem Karneval und von der Schönheit seiner Mutter Catharina Minelli. Alles das ist für ihn von ähnlichem Sinn, verschiedene Ausdrücke für Macht und Liebe und Leben. Den beiden Zuhörern ist alles fremd; denn die Juden sind streng ausgeschlossen von jedem Verkehr, und auch der reiche Melchisedech betritt niemals das Gebiet des Großen Rates,[30] obwohl er als Goldschmied und weil er allgemeine Achtung genoß, es hätte wagen dürfen. In seinem langen Leben hat der Alte seinen Glaubensgenossen,[31] die ihn alle wie einen Vater fühlten,[32] manche Vergünstigung vom Rate verschafft, aber er hatte auch immer wieder den Rückschlag erlebt. Sooft ein Unheil über den Staat hereinbrach, rächte man sich an den Juden; die Venezianer selbst waren von viel zu verwandtem Geiste, als daß sie, wie andere Völker, die Juden für den Handel gebraucht hätten, sie quälten sie mit Abgaben, beraubten sie ihrer Güter und beschränkten immer mehr das Gebiet des Ghetto, so daß die Familien, die sich mitten in aller Not fruchtbar vermehrten, gezwungen waren, ihre Häuser aufwärts,[33] eines auf das Dach des anderen zu bauen. Und ihre Stadt, die nicht am Meere lag, wuchs so langsam in den Himmel hinaus, wie in ein anderes Meer, und um den Platz mit dem Brunnen erhoben sich auf allen Seiten die steilen Gebäude wie die Wände irgendeines Riesenturms.

Der reiche Melchisedech, in der Wunderlichkeit des hohen Alters, hatte seinen Mitbürgern, Söhnen und Enkeln einen befremdlichen Vorschlag gemacht. Er wollte immer das jeweilig höchste dieser winzigen Häuser, die sich in zahllosen Stockwerken übereinanderschoben, bewohnen. Man erfüllte ihm diesen seltsamen Wunsch gerne, denn man traute ohnehin nicht mehr der Tragkraft der unteren Mauern und setzte oben so leichte Steine auf, daß der Wind die Wände gar nicht zu bemerken schien. So siedelte der Greis zwei- bis dreimal im Jahre um und Esther, die ihn nicht verlassen wollte, immer mit ihm. Schließlich waren sie so hoch, daß, wenn sie aus der Enge ihres Gemachs auf das flache Dach traten, in der Höhe ihrer Stirnen schon ein anderes Land begann, von dessen Gebräuchen der Alte in dunklen Worten, halb psalmend,[34] sprach. Es war jetzt sehr weit zu ihnen hinauf; durch viele fremde Leben hindurch,[35] über steile und glitschige Stufen, an scheltenden Weibern vorüber und über die Überfälle hungernder Kinder hinaus ging der Weg, und seine vielen Hindernisse beschränkten jeden Verkehr. Auch Marcantonio kam nicht mehr zu Besuch, und Esther vermißte ihn kaum. Sie hatte ihn in den Stunden, da sie mit ihm allein gewesen war, so groß[36] und lange angeschaut, daß ihr schien, er wäre damals tief in ihre dunklen Augen gestürzt und gestorben, und jetzt begönne in ihr selbst sein neues, ewiges Leben, an das er als Christ doch geglaubt hatte. Mit diesem neuen Gefühl in ihrem jungen Leib stand sie tagelang auf dem Dache und suchte das Meer. Aber so hoch die Behausung auch war, man erkannte zuerst nur den Giebel des Palazzo Foscari,[37] irgendeinen Turm, die Kuppel einer Kirche, eine fernere Kuppel, wie frierend im Licht, und dann ein Gitter von Masten, Balken, Stangen vor dem Rand des feuchten, zitternden Himmels.

Gegen Ende dieses Sommers zog der Alte, obwohl ihm das Steigen schon schwer fiel, allen Widerreden zum Trotz, dennoch um; denn man hatte eine neue Hütte, hoch über allen, gebaut. Als er nach so langer Zeit wieder über den Platz ging, von Esther gestützt, da drängten sich viele um ihn und neigten sich über seine tastenden Hände und baten ihn um seinen Rat in vielen Dingen; denn er war ihnen wie ein Toter, der aus seinem Grabe steigt, weil irgendeine Zeit sich erfüllt hat.[38] Und so schien es auch. Die Männer erzählten ihm, daß in Venedig ein Aufstand sei, der Adel sei in Gefahr, und über ein kurzes würden die Grenzen

des Ghetto fallen, und alle würden sich der gleichen Freiheit erfreuen. Der Alte antwortete nichts und nickte nur,
als sei ihm dieses alles längst bekannt und noch vieles mehr.
Er trat in das Haus des Isaak Rosso, auf dessen Gipfel seine
neue Wohnung lag, und stieg, einen halben Tag lang, hinauf. Oben bekam Esther ein blondes, zartes Kind. Nachdem
sie sich erholt hatte, trug sie es auf den Armen hinaus auf
das Dach und legte zum erstenmal den ganzen goldenen
Himmel in seine offenen Augen. Es war ein Herbstmorgen
von unbeschreiblicher Klarheit. Die Dinge dunkelten, fast
ohne Glanz, nur einzelne fliegende Lichter ließen sich, wie
auf große Blumen, auf sie nieder, ruhten eine Weile und
schwebten dann über die goldlinigen Konturen[39] hinaus in
den Himmel. Und dort, wo sie verschwanden, erblickte man
von dieser höchsten Stelle, was noch keiner vom Ghetto
aus je gesehen hatte —, ein stilles, silbernes Licht: das Meer.
Und erst jetzt, da Esthers Augen sich an die Herrlichkeit
gewöhnt hatten, bemerkte sie am Rande des Daches, ganz
vorn, Melchisedech. Er erhob sich mit ausgebreiteten Armen und zwang seine matten Augen, in den Tag zu schauen,
der sich langsam entfaltete. Seine Arme blieben hoch, seine
Stirne trug einen strahlenden Gedanken; es war, als ob er
opferte. Dann ließ er sich immer wieder vornüberfallen
und preßte den alten Kopf an die schlechten kantigen Steine.
Das Volk aber stand unten auf dem Platze versammelt
und blickte herauf. Einzelne Gebärden und Worte erhoben
sich aus der Menge, aber sie reichten nicht bis zu dem
einsam betenden Greise. Und das Volk sah den Ältesten
und den Jüngsten wie in den Wolken. Der Alte aber fuhr
fort, sich stolz zu erheben und aufs neue in Demut zusam-
menzubrechen, eine ganze Zeit. Und die Menge unten wuchs
und ließ ihn nicht aus den Augen: Hat er das Meer gesehen
oder Gott, den Ewigen, in seiner Glorie?"

Herr Baum bemühte sich, recht schnell etwas zu bemerken. Es gelang ihm nicht gleich. „Das Meer wahrschein-

lich," — sagte er dann trocken, „es ist ja auch ein Eindruck" — wodurch er sich besonders aufgeklärt und verständig erwies.

Ich verabschiedete mich eilig, aber ich konnte mich doch nicht enthalten, ihm nachzurufen: „Vergessen Sie nicht, die Begebenheit Ihren Kindern zu erzählen." Er besann sich: „Den Kindern? Wissen Sie, da ist dieser junge Adlige, dieser Antonio, oder wie er heißt, ein ganz und gar nicht schöner Charakter und dann: das Kind, dieses Kind! Das dürfte[40] doch — für Kinder —" „O," beruhigte ich ihn, „Sie haben vergessen, verehrter Herr, daß die Kinder von Gott kommen! Wie sollten die Kinder zweifeln, daß Esther eines bekam, da sie doch so nahe am Himmel wohnt!"

Auch diese Geschichte haben die Kinder vernommen, und wenn man sie fragt, wie sie darüber denken, was der alte Jude Melchisedech wohl erblickt haben mag in seiner Verzückung, so sagen sie ohne nachzusinnen: „O, das Meer auch."

VON EINEM, DER DIE STEINE BELAUSCHT

VON EINEM, DER DIE STEINE BELAUSCHT

Ich bin schon wieder bei meinem lahmen Freunde. Er lächelt in seiner eigentümlichen Art: „Und von Italien haben Sie mir noch nie erzählt." „Das soll heißen, ich möge es so bald als möglich nachholen?"

Ewald nickt und schließt schon die Augen, um zuzuhören. Ich fange also an. „Was wir Frühling fühlen,[1] sieht Gott als ein flüchtiges, kleines Lächeln über die Erde gehen. Sie scheint sich an etwas zu erinnern, im Sommer erzählt sie allen davon, bis sie weiser wird in der großen, herbstlichen Schweigsamkeit, mit welcher[2] sie sich Einsamen vertraut. Alle Frühlinge, welche Sie und ich erlebt haben, zusammengenommen, reichen noch nicht aus, eine Sekunde Gottes zu füllen. Der Frühling, den Gott bemerken soll, darf nicht in Bäumen und auf Wiesen bleiben, er muß irgendwie in den Menschen mächtig werden, denn dann geht er sozusagen nicht in der Zeit, vielmehr in der Ewigkeit vor sich und in Gegenwart Gottes.

Als dieses einmal geschah, mußten Gottes Blicke in ihren dunklen Schwingen über Italien hängen. Das Land unten war hell, die Zeit glänzte wie Gold,[3] aber quer darüber, wie ein dunkler Weg, lag der Schatten eines breiten Mannes, schwer und schwarz, und weit davor der Schatten seiner schaffenden Hände, unruhig, zuckend, bald über Pisa, bald über Neapel, bald zerfließend auf der ungewissen Bewegung des Meeres. Gott konnte seine Augen nicht abwenden von diesen Händen, die ihm zuerst gefaltet schienen, wie betende, — aber das Gebet, welches ihnen entquoll, drängte sie weit auseinander. Es wurde eine Stille in den Himmeln. Alle Heiligen folgten den Blicken Gottes und betrachteten wie er den Schatten, der halb Italien verhüllte, und die Hymnen der Engel blieben auf ihren Gesichtern stehen, und

Michelangelo, Pietà, Deposition from the Cross
(Von einem der die Steine belauscht)

die Sterne zitterten, denn sie fürchteten, irgend etwas verschuldet zu haben, und warteten demütig auf Gottes zorniges Wort. Aber nichts dergleichen geschah. Die Himmel hatten sich in ihrer ganzen Breite über Italien aufgetan, so daß Raffael[4] in Rom auf den Knien lag, und der selige Fra Angelico[5] von Fiesole stand in einer Wolke und freute sich über ihn. Viele Gebete waren zu dieser Stunde von der Erde unterwegs. Gott aber erkannte nur eines: die Kraft Michelangelos[6] stieg wie Duft von Weinbergen zu ihm empor. Und er duldete, daß sie seine Gedanken erfüllte. Er neigte sich tiefer, fand den schaffenden Mann, sah über seine Schultern fort auf die am Steine horchenden Hände und erschrak: sollten in den Steinen auch Seelen sein? Warum belauschte dieser Mann die Steine? Und nun erwachten ihm[7] die Hände und wühlten den Stein auf wie ein Grab, darin[8] eine schwache, sterbende Stimme flackert: ‚Michelangelo,' rief Gott in Bangigkeit, ‚wer ist im Stein?' Michelangelo horchte auf: seine Hände zitterten. Dann antwortete er dumpf: ‚Du, mein Gott, wer denn sonst. Aber ich kann nicht zu dir.' Und da fühlte Gott, daß er auch im Steine sei, und es wurde ihm ängstlich und enge.[9] Der ganze Himmel war nur ein Stein, und er war mitten drin eingeschlossen und hoffte auf die Hände Michelangelos, die ihn befreien würden, und er hörte sie kommen, aber noch weit. Der Meister aber war wieder über dem Werke. Er dachte beständig: du bist nur ein kleiner Block, und ein anderer könnte in dir kaum einen Menschen finden. Ich aber fühle hier eine Schulter: es ist die des Josef von Arimathäa,[10] hier neigt sich Maria, ich spüre ihre zitternden Hände, welche Jesum, unseren Herrn, halten, der eben am Kreuze verstarb. Wenn in diesem kleinen Marmor diese drei Raum haben, wie sollte ich nicht einmal ein schlafendes Geschlecht[11] aus einem Felsen heben? Und mit breiten Hieben[12] machte er die drei Gestalten der Pietà[13] frei, aber er löste nicht ganz die steinernen Schleier von ihren Ge-

sichtern, als fürchtete er, ihre tiefe Traurigkeit könnte sich
lähmend über seine Hände legen. So flüchtete er zu einem
anderen Steine. Aber jedesmal verzagte er, einer Stirne ihre
volle Klarheit, einer Schulter ihre reinste Rundung zu geben,
und wenn er ein Weib bildete, so legte er nicht das letzte
Lächeln um ihren Mund, damit ihre Schönheit nicht ganz
verraten sei.

Zu dieser Zeit entwarf er[14] das Grabdenkmal für Julius
della Rovere.[15] Einen Berg wollte er bauen über den eisernen
Papst[16] und ein Geschlecht dazu, welches diesen Berg be-
völkerte. Von vielen dunkeln Plänen erfüllt, ging er hinaus
nach seinen Marmorbrüchen.[17] Über einem armen Dorf erhob sich steil der Hang. Umrahmt von Oliven[18] und welkem
Gestein, erschienen die frisch gebrochenen Flächen wie
ein großes, blasses Gesicht unter alterndem Haar. Lange
stand Michelangelo vor seiner verhüllten Stirne. Plötzlich bemerkte er darunter zwei riesige Augen aus Stein,
welche ihn betrachteten. Und Michelangelo fühlte seine
Gestalt wachsen unter dem Einfluß dieses Blickes. Jetzt
ragte auch er über[19] dem Land, und es war ihm, als ob
er von Ewigkeit her diesem Berg brüderlich gegenüber-
stände. Das Tal wich unter ihm zurück wie unter einem
Steigenden, die Hütten drängten sich wie Herden aneinander, und näher und verwandter zeigte sich das Felsengesicht unter seinen weißen, steinernen Schleiern. Es hatte
einen wartenden Ausdruck, reglos und doch am Rande der
Bewegung. Michelangelo dachte nach: ,Man kann dich
nicht zerschlagen, du bist ja nur Eines,' und dann hob er
seine Stimme: ,Dich will ich vollenden, du bist mein Werk.'
Und er wandte sich nach Florenz zurück. Er sah einen Stern
und den Turm vom Dom. Und um seine Füße war Abend.

Mit einem Mal, an der Porta Romana, zögerte er. Die
beiden Häuserreihen streckten sich wie Arme nach ihm aus,
und schon hatten sie ihn ergriffen und zogen ihn hinein in
die Stadt. Und immer enger und dämmernder wurden die

Gassen, und als er sein Haus betrat, da wußte er sich in dunkeln Händen, denen er nicht entgehen konnte. Er flüchtete in den Saal und von da in die niedere, kaum zwei Schritte lange Kammer, darin[20] er zu schreiben pflegte. Ihre Wände legten sich an ihn, und es war, als kämpften sie mit seinen Übermaßen und zwängten ihn zurück in die alte, enge Gestalt. Und er duldete es. Er drückte sich in die Knie und ließ sich formen von ihnen. Er fühlte eine nie gekannte Demut in sich und hatte selbst den Wunsch, irgendwie klein zu sein. Und eine Stimme kam: ‚Michelangelo, wer ist in dir?‘ Und der Mann in der schmalen Kammer legte die Stirn schwer in die Hände und sagte leise: ‚Du, mein Gott, wer denn sonst.‘

Und da wurde es weit um Gott, und er hob sein Gesicht, welches über Italien[21] war, frei empor und schaute um sich: in Mänteln und Mitren standen die Heiligen da, und die Engel gingen mit ihren Gesängen wie mit Krügen voll glänzenden Quells unter den dürstenden Sternen umher, und es war der Himmel kein Ende."

Mein lahmer Freund hob seine Blicke und duldete, daß die Abendwolken sie mitzogen über den Himmel hin: „Ist Gott denn dort?" fragte er. Ich schwieg. Dann neigte ich mich zu ihm: „Ewald, sind wir denn hier?" Und wir hielten uns[22] herzlich die Hände.

WIE DER FINGERHUT DAZU KAM,
DER LIEBE GOTT ZU SEIN

WIE DER FINGERHUT DAZU KAM,
DER LIEBE GOTT ZU SEIN

Als ich vom Fenster forttrat, waren die Abendwolken immer noch da. Sie schienen zu warten. Soll ich ihnen auch eine Geschichte erzählen? Ich schlug es ihnen vor. Aber sie hörten mich gar nicht. Um mich verständlich zu machen und die Entfernung zwischen uns zu beschränken, rief ich: „Ich bin auch eine Abendwolke." Sie blieben stehen, offenbar betrachteten sie mich. Dann streckten sie mir ihre feinen, durchscheinenden rötlichen Flügel entgegen. Das ist die Art, wie Abendwolken sich begrüßen. Sie hatten mich erkannt.

„Wir sind über der Erde," — erklärten sie — „genauer über Europa, und du?" Ich zögerte: „Es ist da ein Land —" „Wie sieht es aus?" erkundigten sie sich. „Nun," entgegnete ich — „Dämmerung mit Dingen —" „Das ist Europa auch," lachte eine junge Wolke. „Möglich," sagte ich, „aber ich habe immer gehört: die Dinge in Europa sind tot." „Ja, allerdings," bemerkte eine andere verächtlich. „Was wäre das für ein Unsinn: lebende Dinge?" „Nun," beharrte ich, „meine leben. Das ist also der Unterschied. Sie können verschiedenes werden, und ein Ding, welches als Bleistift oder als Ofen zur Welt kommt, muß deshalb noch nicht an seinem Fortkommen verzweifeln. Ein Bleistift kann mal ein Stock, wenn es gut geht,[1] ein Mastbaum, ein Ofen aber mindestens ein Stadttor werden."

„Du scheinst mir eine recht einfältige Abendwolke zu sein," sagte die junge Wolke, welche sich schon früher so wenig zurückhaltend ausgedrückt hatte. Ein alter Wolkerich[2] fürchtete, sie könnte mich beleidigt haben. „Es gibt ganz verschiedene Länder," begütigte er, „ich war einmal über ein kleines deutsches Fürstentum³ geraten, und ich glaube bis heute nicht, daß das zu Europa gehörte." Ich dankte ihm und sagte: „Wir werden uns schwer einigen können, sehe ich. Erlauben Sie, ich werde Ihnen einfach das erzählen, was ich in der letzten Zeit unter mir erblickte, das wird wohl das beste sein." „Bitte," gestattete der weise Wolkerich im Auftrage aller. Ich begann: „Menschen sind in einer Stube. Ich bin ziemlich hoch, müßt ihr wissen, und so kommt es: sie sehen für mich wie Kinder aus; deshalb will ich auch einfach sagen: Kinder. Also: Kinder sind in einer Stube. Zwei, fünf, sechs, sieben Kinder. Es würde zu lange dauern, sie um ihre Namen zu fragen. Übrigens scheinen die Kinder eifrig etwas zu besprechen; bei dieser Gelegenheit wird sich ja der eine oder der andere Name verraten.⁴ Sie stehen wohl schon eine ganze Weile so bei-sammen, denn der älteste (ich vernehme, daß er Hans gerufen wird) bemerkt gleichsam abschließend: ‚Nein, so kann es entschieden nicht bleiben. Ich habe gehört, früher haben die Eltern den Kindern am Abend immer, oder wenigstens an braven Abenden — Geschichten erzählt bis zum Einschlafen. Kommt so etwas heute vor?' Eine kleine Pause, dann antwortet Hans selbst: ‚Es kommt nicht vor, nirgends. Ich für meinen Teil, auch weil ich schon groß bin gewissermaßen, schenke ihnen⁵ ja gern diese paar elen-den Drachen, mit denen sie sich quälen würden, aber im-merhin, es gehört sich, daß sie uns sagen, es gibt Nixen, Zwerge, Prinzen und Ungeheuer.' ‚Ich habe eine Tante,' bemerkte eine Kleine, ‚die erzählt mir manchmal —' ‚Ach was,'⁶ schneidet Hans kurz ab, ‚Tanten gelten nicht, die lügen.' Die ganze Gesellschaft war sehr eingeschüchtert angesichts dieser kühnen, aber unwiderlegten Behauptung. Hans fährt fort: ‚Auch handelt es sich hier vor allem um die Eltern, weil diese gewissermaßen die Verpflichtung ha-ben, uns in dieser Weise zu unterrichten: bei den anderen ist es mehr Güte. Verlangen kann man es nicht von ihnen.

Aber gebt nur mal acht: was tun unsere Eltern? Sie gehen mit bösen, gekränkten Gesichtern umher, nichts ist ihnen recht, sie schreien und schelten, aber dabei sind sie doch so gleichgültig, und wenn die Welt unterginge, sie würden es kaum bemerken. Sie haben etwas, was sie „Ideale" nennen. Vielleicht ist das auch so eine Art kleine Kinder, die nicht allein bleiben dürfen und sehr viel Mühe machen; aber dann hätten sie eben uns nicht haben dürfen. Nun, ich denke so, Kinder: daß die Eltern uns vernachlässigen, ist traurig, gewiß. Aber wir würden das dennoch ertragen, wenn es nicht ein Beweis wäre dafür, daß die Großen überhaupt dumm werden, zurückgehen, wenn man so sagen darf. Wir können ihren Verfall nicht aufhalten; denn wir können den ganzen Tag keinen Einfluß auf sie ausüben, und kommen wir spät aus der Schule nach Haus, wird kein Mensch verlangen, daß wir uns hinsetzen und versuchen, sie für etwas Vernünftiges zu interessieren. Es tut einem auch recht weh, wenn man so unter der Lampe sitzt und sitzt, und die Mutter begreift nicht einmal den pythagoreischen Lehrsatz.[7] Nun, es ist einmal nicht anders.[8] So werden die Großen immer dümmer werden . . . es schadet nichts: was kann uns dabei verloren gehen?[9] die Bildung? Sie ziehen den Hut voreinander, und wenn eine Glatze dabei zum Vorschein kommt, so lachen sie. Überhaupt: sie lachen beständig. Wenn wir nicht dann und wann so vernünftig wären, zu weinen, es gäbe durchaus kein Gleichgewicht auch in diesen Angelegenheiten. Dabei sind sie von einem Hochmut: sie behaupten sogar, der Kaiser sei ein Erwachsener. Ich habe in den Zeitungen gelesen, der König von Spanien sei ein Kind, so ist es mit allen Königen und Kaisern, — laßt euch nur nichts einreden! Aber neben allem Überflüssigen haben die Großen doch etwas, was uns durchaus nicht gleichgültig sein kann: den lieben Gott. Ich habe ihn zwar noch bei keinem von ihnen gesehen, — aber gerade das ist verdächtig. Es ist mir eingefallen, sie könnten

ihn in ihrer Zerstreutheit, Geschäftigkeit und Hast irgendwo
verloren haben. Nun ist er aber etwas durchaus Notwendiges.
Verschiedenes kann ohne ihn nicht geschehen, die Sonne
kann nicht aufgehen, keine Kinder können kommen,[10] aber
auch das Brot wird aufhören. Wenn es auch beim Bäcker
herauskommt, der liebe Gott sitzt und dreht die großen
Mühlen. Es lassen sich leicht viele Gründe finden, weshalb
der liebe Gott etwas Unentbehrliches ist. Aber so viel steht
fest, die Großen kümmern sich nicht um ihn, also müssen
wir Kinder es tun. Hört, was ich mir ausgedacht habe. Wir
sind genau sieben Kinder. Jedes muß den lieben Gott einen
Tag tragen, dann ist er die ganze Woche bei uns, und man
weiß immer, wo er sich gerade befindet.'
Hier entstand eine große Verlegenheit. Wie sollte das
geschehen? Konnte man denn den lieben Gott in die Hand
nehmen oder in die Tasche stecken? Dazu erzählte ein
Kleiner: ,Ich war allein im Zimmer. Eine kleine Lampe
brannte nahe bei mir, und ich saß im Bett und sagte mein
Abendgebet – sehr laut. Es rührte sich etwas in meinen
gefalteten Händen. Es war weich und warm und wie ein
kleines Vögelchen. Ich konnte die Hände nicht auftun,
denn das Gebet war noch nicht aus. Aber ich war sehr
neugierig und betete furchtbar schnell. Dann beim Amen
machte ich so (der Kleine streckte die Hände aus und
spreizte die Finger), aber es war nichts da.'
Das konnten sich alle vorstellen. Auch Hans wußte keinen
Rat. Alle schauten ihn an. Und auf einmal sagte er: ,Das
ist ja dumm. Ein jedes Ding kann der liebe Gott sein. Man
muß es ihm nur sagen.' Er wandte sich an den ihm zunächst
stehenden, rothaarigen Knaben. ,Ein Tier kann das nicht.
Es läuft davon. Aber ein Ding, siehst du, es steht, du kommst
in die Stube, bei Tag, bei Nacht, es ist immer da, es kann
wohl der liebe Gott sein.' Allmählich überzeugten sich die
anderen davon. ,Aber wir brauchen einen kleinen Gegenstand, den man überall mittragen kann, sonst hat es ja

keinen Sinn. Leert einmal alle eure Taschen aus.' Da zeigten sich nun sehr seltsame Dinge: Papierschnitzel, Federmesser, Radiergummi, Federn, Bindfaden, kleine Steine, Schrauben, Pfeifen, Holzspänchen und vieles andere, was sich aus der Ferne gar nicht erkennen läßt, oder wofür der Name mir fehlt. Und alle diese Dinge lagen in den seichten Händen[11] der Kinder, wie erschrocken über die plötzliche Möglichkeit, der liebe Gott zu werden, und welches von ihnen ein bißchen glänzen konnte, glänzte, um dem Hans[12] zu gefallen. Lange schwankte die Wahl. Endlich fand sich bei der kleinen Resi ein Fingerhut, den sie ihrer Mutter einmal weggenommen hatte. Er war licht wie aus Silber, und um seiner Schönheit willen wurde er der liebe Gott. Hans selbst steckte ihn ein, denn er begann die Reihe, und alle Kinder gingen den ganzen Tag hinter ihm her und waren stolz auf ihn. Nur schwer einigte man sich, wer ihn morgen haben sollte, und Hans stellte in seiner Umsicht dann das Programm gleich für die ganze Woche fest, damit kein Streit ausbräche.

Diese Einrichtung erwies sich im ganzen als überaus zweckmäßig. Wer den lieben Gott gerade hatte, konnte man auf den ersten Blick erkennen. Denn der Betreffende ging etwas steifer und feierlicher und machte ein Gesicht wie am Sonntag. Die ersten drei Tage sprachen die Kinder von nichts anderem. Jeden Augenblick verlangte eines, den lieben Gott zu sehen, und wenn sich der Fingerhut unter dem Einfluß seiner großen Würde auch gar nicht verändert hatte, das Fingerhutliche[13] an ihm erschien jetzt nur als ein bescheidenes Kleid um seine wirkliche Gestalt. Alles ging nach der Ordnung vor sich. Am Mittwoch hatte ihn Paul, am Donnerstag die kleine Anna. Der Samstag kam. Die Kinder spielten Fangen und tollten atemlos durcheinander, als Hans plötzlich rief: ,Wer hat denn den lieben Gott?' Alle standen. Jedes sah das andere an. Keines erinnerte sich, ihn seit zwei Tagen gesehen zu haben. Hans zählte ab, wer an der Reihe sei; es kam heraus: die kleine Marie.

Wie der Fingerhut dazu kam, der liebe Gott zu sein

Und nun verlangte man ohne weiteres von der kleinen Marie den lieben Gott. Was war da zu tun? Die Kleine kratzte in ihren Taschen herum. Jetzt fiel ihr erst ein, daß sie ihn am Morgen erhalten hatte; aber jetzt war er fort, wahrscheinlich hatte sie ihn hier beim Spielen verloren.

Und als alle Kinder nach Hause gingen, blieb die Kleine auf der Wiese zurück und suchte. Das Gras war ziemlich hoch. Zweimal kamen Leute vorüber und fragten, ob sie etwas verloren hätte. Jedesmal antwortete das Kind: ‚Einen Fingerhut‘ — und suchte. Die Leute taten eine Weile mit, wurden aber bald des Bückens müde, und einer riet im Fortgehen: ‚Geh lieber nach Haus, man kann ja einen neuen kaufen.‘ Dennoch suchte Mariechen weiter. Die Wiese wurde immer fremder in der Dämmerung, und das Gras begann naß zu werden. Da kam wieder ein Mann. Er beugte sich über das Kind: ‚Was suchst du?‘ Jetzt antwortete Mariechen, nicht weit vom Weinen, aber tapfer und trotzig: ‚Den lieben Gott.‘ Der Fremde lächelte, nahm sie einfach bei der Hand, und sie ließ sich führen, als ob jetzt alles gut wäre. Unterwegs sagte der fremde Mann: ‚Und sieh mal, was ich heute für einen schönen Fingerhut gefunden habe.‘ —“

Die Abendwolken waren schon längst ungeduldig. Jetzt wandte sich der weise Wolkerich, welcher indessen dick geworden war, zu mir: „Verzeihen Sie, dürfte ich nicht den Namen des Landes — über welchem Sie —“ Aber die anderen Wolken liefen lachend in den Himmel hinein und zogen den Alten mit.

EIN MÄRCHEN VOM TOD

UND EINE FREMDE NACHSCHRIFT DAZU

EIN MÄRCHEN VOM TOD
UND EINE FREMDE NACHSCHRIFT DAZU

Ich schaute noch immer hinauf in den langsam verlöschenden Abendhimmel, als jemand sagte: „Sie scheinen sich ja für das Land da oben sehr zu interessieren?"

Mein Blick fiel schnell, wie heruntergeschossen, und ich erkannte: ich war an die niedere Mauer unseres kleinen Kirchhofs geraten, und vor mir, jenseits derselben,[1] stand der Mann mit dem Spaten und lächelte ernst. „Ich interessiere mich wieder für dieses Land hier," ergänzte er und wies nach der schwarzen, feuchten Erde, welche an manchen Stellen hervorsah aus den vielen welken Blättern, die sich rauschend rührten, während ich nicht wußte, daß ein Wind begonnen hatte. Plötzlich sagte ich, von heftigem Abscheu erfaßt: „Warum tun Sie das da?" Der Totengräber lächelte immer noch: „Es ernährt einen auch — und dann, ich bitte Sie, tun nicht die meisten Menschen das gleiche? Sie begraben Gott dort, wie ich die Menschen hier." Er zeigte nach dem Himmel und erklärte mir: „Ja, das ist auch ein großes Grab, im Sommer stehen wilde Vergißmeinnicht drauf —" Ich unterbrach ihn: „Es gab eine Zeit, wo die Menschen Gott im Himmel begruben, das ist wahr —" „Ist das anders geworden?" fragte er seltsam traurig. Ich fuhr fort: „Einmal warf jeder eine Hand Himmel über ihn, ich weiß. Aber da war er eigentlich schon nicht mehr dort, oder doch —" Ich zögerte.

„Wissen Sie," begann ich dann von neuem, „in alten Zeiten beteten die Menschen so." Ich breitete die Arme aus und fühlte unwillkürlich meine Brust groß werden dabei. „Damals warf sich Gott in alle diese Abgründe voll Demut und Dunkelheit, und nur ungern kehrte er in seine

Himmel zurück, die er, unvermerkt, immer näher über die
Erde zog. Aber ein neuer Glaube begann. Da dieser den
Menschen nicht verständlich machen konnte, worin sein
neuer Gott sich von jenem alten unterscheide (sobald er
ihn nämlich zu preisen begann, erkannten die Menschen
sofort den einen alten Gott auch hier), so veränderte der
Verkünder des neuen Gebotes die Art zu beten. Er lehrte
das Händefalten und entschied: ,Seht, unser Gott will so
gebeten sein, also ist er ein anderer als der, den ihr bisher in
euren Armen glaubtet zu empfangen.' Die Menschen sahen
das ein, und die Gebärde der offenen Arme[2] wurde eine
verächtliche und schreckliche, und später heftete man sie
ans Kreuz, um sie allen als ein Symbol der Not und des
Todes zu zeigen.

Als Gott aber das nächste Mal wieder auf die Erde nieder-
blickte, erschrak er. Neben den vielen gefalteten Händen
hatte man viele gotische Kirchen gebaut, und so streckten
sich ihm die Hände und Dächer, gleich steil und scharf, wie
feindliche Waffen entgegen. Bei Gott ist eine andere Tapferkeit.[3] Er kehrte in seine Himmel zurück, und als er merkte,
daß die Türme und die neuen Gebete hinter ihm her wuchsen, da ging er auf der anderen Seite aus seinen Himmeln
hinaus und entzog sich so der Verfolgung. Er war selbst
überrascht, jenseits von seiner strahlenden Heimat ein be-
ginnendes Dunkel zu finden, das ihn schweigend empfing,
und er ging mit einem seltsamen Gefühl immer weiter in
dieser Dämmerung, welche ihn an die Herzen der Menschen
erinnerte. Da fiel es ihm zuerst ein, daß die Köpfe der
Menschen licht, ihre Herzen aber voll eines ähnlichen Dun-
kels sind, und eine Sehnsucht überkam ihn, in den Herzen der
Menschen zu wohnen und nicht mehr durch das klare, kalte
Wachsein ihrer Gedanken zu gehen. Nun, Gott hat seinen
Weg fortgesetzt. Immer dichter wird um ihn die Dunkelheit, und die Nacht, durch die er sich drängt, hat etwas
von der duftenden Wärme fruchtbarer Schollen. Und nicht

lange mehr, so strecken sich ihm die Wurzeln entgegen mit der alten schönen Gebärde des breiten Gebetes.[4] Es gibt nichts Weiseres als den Kreis. Der Gott, der uns in den Himmeln entfloh, aus der Erde wird er uns wiederkommen. Und, wer weiß, vielleicht graben gerade Sie einmal das Tor . . ." Der Mann mit dem Spaten sagte: „Aber das ist ein Märchen." „In unserer Stimme," erwiderte ich leise, „wird alles Märchen, denn es kann sich ja in ihr nie begeben haben." Der Mann schaute eine Weile vor sich hin. Dann zog er mit heftigen Bewegungen den Rock an und fragte: „Wir können ja wohl zusammen gehen?" Ich nickte: „Ich gehe nach Hause. Es wird wohl derselbe Weg sein. Aber wohnen Sie nicht hier?" Er trat aus der kleinen Gittertür, legte sie sanft in ihre klagenden[5] Angeln zurück und entgegnete: „Nein."

Nach ein paar Schritten wurde er vertraulicher: „Sie haben ganz recht gehabt vorhin. Es ist seltsam, daß sich niemand findet, der das tun mag, das da draußen. Ich habe früher nie daran gedacht. Aber jetzt, seit ich älter werde, kommen mir manchmal Gedanken, eigentümliche Gedanken, wie der mit dem Himmel, und noch andere. Der Tod. Was weiß man davon? Scheinbar alles und vielleicht nichts. Oft stehen die Kinder (ich weiß nicht, wem sie gehören) um mich, wenn ich arbeite. Und mir fällt gerade so etwas ein. Dann grabe ich wie ein Tier, um alle meine Kraft aus dem Kopfe fortzuziehen und sie in den Armen zu verbrauchen. Das Grab wird viel tiefer, als die Vorschrift verlangt, und ein Berg Erde wächst daneben auf. Die Kinder aber laufen davon, da sie meine wilden Bewegungen sehen. Sie glauben, daß ich irgendwie zornig bin." Er dachte nach. „Und es ist ja auch eine Art Zorn. Man wird abgestumpft, man glaubt es überwunden zu haben, und plötzlich . . . Es hilft nichts, der Tod ist etwas Unbegreifliches, Schreckliches."

Wir gingen eine lange Straße unter schon ganz blätter-
losen Obstbäumen, und der Wald begann, uns zur Linken,
wie eine Nacht, die jeden Augenblick auch über uns herein-
brechen kann. „Ich will Ihnen eine kleine Geschichte berichten," versuchte ich, „sie reicht gerade bis an den Ort."
Der Mann nickte und zündete sich seine kurze, alte Pfeife
an. Ich erzählte:

„Es waren zwei Menschen, ein Mann und ein Weib, und
sie hatten einander lieb. Liebhaben, das heißt nichts annehmen, von nirgends, alles vergessen und von einem Menschen alles empfangen wollen, das was man schon besaß
und alles andere. So wünschten es die beiden Menschen
gegenseitig. Aber in der Zeit, im Tage, unter den vielen,[6]
was alles kommt und geht, oft ehe man eine wirkliche Beziehung dazu gewinnt, läßt sich ein solches Liebhaben gar
nicht durchführen, die Ereignisse kommen von allen Seiten,
und der Zufall öffnet ihnen jede Tür.

Deshalb beschlossen die beiden Menschen, aus der Zeit[7]
in die Einsamkeit zu gehen, weit fort vom Uhrenschlagen
und von den Geräuschen der Stadt. Und dort erbauten
sie sich in einem Garten ein Haus. Und das Haus hatte
zwei Tore, eines an seiner rechten, eines an seiner linken
Seite. Und das rechte Tor war des Mannes Tor, und alles
Seine sollte durch dasselbe[8] in das Haus einziehen. Das
linke aber war das Tor des Weibes; und was ihres Sinnes[9]
war, sollte durch seinen Bogen eintreten. So geschah es.
Wer zuerst erwachte am Morgen, stieg hinab und tat sein
Tor auf. Und da kam dann bis spät in die Nacht gar manches
herein, wenn auch das Haus nicht am Rande des Weges
lag. Zu denen, die zu empfangen verstehen, kommt die
Landschaft ins Haus und das Licht und ein Wind mit
einem Duft auf den Schultern und viel anderes mehr. Aber
auch Vergangenheiten,[10] Gestalten, Schicksale traten durch
die beiden Tore ein, und allen wurde die gleiche, schlichte
Gastlichkeit zuteil, so daß sie meinten, seit immer in dem

Heidehaus gewohnt zu haben. So ging es eine lange Zeit fort, und die beiden Menschen waren sehr glücklich dabei. Das linke Tor war etwas häufiger geöffnet, aber durch das rechte traten buntere Gäste ein. Vor diesem wartete auch eines Morgens — der Tod. Der Mann schlug seine Tür eilends zu, als er ihn bemerkte, und hielt sie den ganzen Tag über fest verschlossen. Nach einiger Zeit tauchte der Tod vor dem linken Eingang auf. Zitternd warf das Weib das Tor zu und schob den breiten Riegel vor. Sie sprachen nicht miteinander über dieses Ereignis, aber sie öffneten seltener die beiden Tore und suchten mit dem auszukommen, was im Hause war. Da lebten sie nun freilich viel ärmlicher als vorher. Ihre Vorräte wurden knapp, und es stellten sich Sorgen ein. Sie begannen beide, schlecht zu schlafen,[11] und in einer solchen wachen, langen Nacht vernahmen sie plötzlich zugleich ein seltsames, schlürfendes und pochendes Geräusch. Es war hinter der Wand des Hauses, gleich weit entfernt von den beiden Toren, und klang, als ob jemand begänne, Steine auszubrechen, um ein neues Tor mitten in die Mauer zu bauen. Die beiden Menschen taten in ihrem Schrecken dennoch, als ob sie nichts Besonderes vernähmen. Sie begannen zu sprechen, lachten unnatürlich laut, und als sie müde wurden, war das Wühlen in der Wand verstummt. Seither bleiben die beiden Tore ganz geschlossen. Die Menschen leben wie Gefangene. Beide sind kränklich geworden und haben seltsame Einbildungen. Das Geräusch wiederholt sich von Zeit zu Zeit. Dann lachen sie mit ihren Lippen, während ihre Herzen fast sterben vor Angst. Und sie wissen beide, daß das Graben immer lauter und deutlicher wird, und müssen immer lauter sprechen und lachen mit ihren immer matteren Stimmen."

Ich schwieg. „Ja, ja —," sagte der Mann neben mir, „so ist es, das ist eine wahre Geschichte."

„Diese habe ich in einem alten Buche gelesen," fügte ich hinzu, „und da ereignete sich etwas sehr Merkwürdiges

Ein Märchen vom Tod und eine fremde Nachschrift dazu

dabei. Hinter der Zeile, darin[12] erzählt wird, wie der Tod auch vor dem Tore des Weibes erschien, war mit alter, verwelkter Tinte ein kleines Sternchen gezeichnet. Es sah aus den Worten wie aus Wolken hervor, und ich dachte einen Augenblick, wenn die Zeilen sich verzögen, so könnte offenbar werden, daß hinter ihnen lauter Sterne stehen, wie es ja wohl manchmal geschieht, wenn der Frühlingshimmel sich spät am Abend klärt. Dann vergaß ich des[13] unbedeutenden Umstandes ganz, bis ich hinten im Einband des Buches dasselbe Sternchen, wie gespiegelt in einem See, in dem glatten Glanzpapier wiederfand, und nah unter demselben[14] begannen zarte Zeilen, die wie Wellen in der blassen spiegelnden Fläche verliefen. Die Schrift war an vielen Stellen undeutlich geworden, aber es gelang mir doch, sie fast ganz zu entziffern. Da stand etwa:

‚Ich habe diese Geschichte so oft gelesen, und zwar in allen möglichen Tagen, daß ich manchmal glaube, ich habe sie selbst aus der Erinnerung aufgezeichnet. Aber bei mir geht es im weiteren Verlaufe so zu, wie ich es hier niederschreibe. Das Weib hatte den Tod nie gesehen, arglos ließ sie ihn eintreten. Der Tod aber sagte etwas hastig, und wie einer, welcher kein gutes Gewissen hat: ‚Gib das deinem Mann.' Und er fügte, als das Weib ihn fragend anblickte, eilig hinzu: ‚Es ist Samen, sehr guter Samen.' Dann entfernte er sich, ohne zurückzusehen. Das Weib öffnete das Säckchen, welches er ihr in die Hand gelegt hatte; es fand sich wirklich eine Art Samen darin, harte, häßliche Körner. Da dachte das Weib: der Same ist etwas Unfertiges, Zukünftiges. Man kann nicht wissen, was aus ihm wird. Ich will diese unschönen Körner nicht meinem Manne geben, sie sehen gar nicht aus wie ein Geschenk. Ich will sie lieber in das Beet unseres Gartens drücken und warten, was sich aus ihnen erhebt. Dann will ich ihn davor führen und ihm erzählen, wie ich zu dieser Pflanze kam. Also tat das Weib auch.[15] Dann lebten sie dasselbe Leben weiter. Der Mann, der immer daran denken mußte, daß der Tod vor seinem Tore gestanden hatte, war anfangs etwas ängstlich, aber da er das Weib so gastlich und sorglos sah wie immer, tat auch er bald wieder die breiten Flügel seines Tores auf, so daß viel Leben und Licht in das Haus hereinkam. Im nächsten Frühjahr stand mitten im Beete zwischen den schlanken Feuerlilien ein kleiner Strauch. Er hatte schmale, schwärzliche Blätter, etwas spitz, ähnlich denen des Lorbeers, und es lag ein sonderbarer Glanz auf ihrer Dunkelheit. Der Mann nahm sich täglich vor, zu fragen, woher diese Pflanze stamme. Aber er unterließ es täglich. In einem verwandten Gefühl verschwieg auch das Weib von einem Tag zum andern die Aufklärung. Aber die unterdrückte Frage auf der einen, die nie gewagte Antwort auf der anderen Seite führte die beiden Menschen oft bei diesem Strauch zusammen, der sich in seiner grünen Dunkelheit so seltsam von dem Garten unterschied. Als das nächste Frühjahr kam, da beschäftigten sie sich wie mit den anderen Gewächsen auch mit dem Strauch, und sie wurden traurig, als er, umringt von lauter steigenden Blüten, unverändert und stumm, wie im ersten Jahr, gegen alle Sonne taub, sich erhob. Damals beschlossen sie, ohne es einander zu verraten, gerade diesem im dritten Frühjahr ihre ganze Kraft zu widmen, und als dieses Frühjahr erschien, erfüllten sie leise und Hand in Hand, was sich jeder versprochen hatte. Der Garten umher verwilderte, und die Feuerlilien schienen blasser als sonst zu sein. Aber einmal, als sie nach einer schweren, bedeckten Nacht in den Morgengarten, den stillen, schimmernden traten, da wußten sie: aus den schwarzen, scharfen Blättern des fremden Strauches war unversehrt eine blasse, blaue Blüte gestiegen, welcher die Knospenschalen schon an allen Seiten enge wurden. Und sie standen davor vereint und schweigend, und jetzt wußten sie sich erst recht nichts zu sagen. Denn sie dachten: nun blüht der Tod, und neigten sich zugleich, um den Duft der jungen

Blüte zu kosten. — Seit diesem Morgen aber ist alles anders geworden in der Welt.' So stand es in dem Einband des alten Buches," schloß ich.

„Und wer das geschrieben hat?"[16] drängte der Mann.

„Eine Frau nach der Schrift," antwortete ich. „Aber was hätte es geholfen, nachzuforschen. Die Buchstaben waren sehr verblaßt und etwas altmodisch. Wahrscheinlich war sie schon längst tot."

Der Mann war ganz in Gedanken. Endlich bekannte er: „Nur eine Geschichte, und doch rührt es einen so an." „Nun, das ist, wenn man selten Geschichten hört," begütigte ich. „Meinen Sie?" Er reichte mir seine Hand, und ich hielt sie fest. „Aber ich möchte sie gerne weitersagen. Das darf man doch?" Ich nickte. Plötzlich fiel ihm ein: „Aber ich habe niemanden. Wem sollte ich sie auch erzählen?" „Nun, das ist einfach; den Kindern, die Ihnen manchmal zusehen kommen. Wem sonst?"

Die Kinder haben auch richtig die letzten drei Geschichten gehört. Allerdings, die von den Abendwolken wiederholte nur teilweise, wenn ich gut unterrichtet bin. Die Kinder sind ja klein und darum von den Abendwolken viel weiter als wir. Doch das ist bei dieser Geschichte ganz gut. Trotz der langen, wohlgesetzten Rede des Hans würden sie erkennen, daß die Sache unter Kindern spielt, und meine Erzählung kritisch als Sachverständige betrachten. Aber es ist besser, daß sie nicht erfahren, mit welcher Anstrengung und wie ungeschickt wir die Dinge erleben, die ihnen so ganz mühelos und einfach geschehen.

EIN VEREIN AUS EINEM DRINGENDEN

BEDÜRFNIS HERAUS

EIN VEREIN AUS EINEM DRINGENDEN
BEDÜRFNIS HERAUS

Ich erfahre erst, daß unser Ort auch eine Art Künstlerverein besitzt. Er ist kürzlich aus einem, wie man sich leicht
vorstellen kann, sehr dringenden Bedürfnis entstanden, und
es geht das Gerücht, daß er „blüht". Wenn Vereine gar
nicht wissen, was sie anfangen sollen, dann blühen sie;
sie haben gehört, daß man dies tun muß, um ein richtiger
Verein zu sein.

Ich muß nicht sagen,[1] daß Herr Baum Ehrenmitglied,
Gründer, Fahnenvater[2] und alles übrige in einer Person ist
und Mühe hat, die verschiedenen Würden auseinanderzu-
halten. Er sandte mir einen jungen Mann, der mich einladen
sollte, an den „Abenden" teilzunehmen. Ich dankte ihm,
wie es sich von selbst versteht, sehr höflich und fügte hinzu,
daß meine ganze Tätigkeit seit etwa fünf Jahren im Gegenteil bestehe. „Es vergeht, stellen Sie sich vor," erklärte ich
ihm mit dem entsprechenden Ernst, „seit dieser Zeit keine
Minute, in welcher ich nicht aus irgendeinem Verbande
austrete, und doch gibt es noch immer Gesellschaften, welche
mich sozusagen enthalten." Der junge Mann schaute erst
erschreckt, dann mit dem Ausdruck respektvollen Bedauerns
auf meine Füße. Er mußte ihnen das „Austreten"[3] ansehen,
denn er nickte verständig mit dem Kopfe. Das gefiel mir
gut, und da ich gerade fortgehen mußte, schlug ich ihm
vor, mich ein Stückchen zu begleiten. So gingen wir durch
den Ort und darüber hinaus, dem Bahnhof zu, denn ich
hatte in der Umgebung zu tun. Wir sprachen über mancherlei Dinge; ich erfuhr, daß der junge Mann Musiker sei.
Er hatte es mir bescheiden mitgeteilt, ansehen konnte man
es ihm nicht. Außer seinen zahlreichen Haaren zeichnete

ihn eine große, gleichsam springende Bereitwilligkeit aus. Auf diesem nicht allzu langen Weg hob er mir zwei Handschuhe auf, hielt mir den Schirm, als ich etwas in meinen Taschen suchte, machte mich errötend darauf aufmerksam, daß mir etwas im Barte hinge, daß mir Ruß auf der Nase säße, und dabei wurden ihm die mageren Finger lang, als sehnten sie sich danach, sich meinem Gesichte auf diese Weise hilfreich zu nähern. In seinem Eifer blieb der junge Mensch sogar bisweilen zurück und holte mit sichtlichem Vergnügen die welken Blätter, die im Herabflattern hängen geblieben waren, aus den Ästen der Sträucher. Ich sah ein, daß ich durch diese beständigen Verzögerungen den Zug versäumen würde (der Bahnhof war noch ziemlich weit), und entschloß mich, meinem Begleiter eine Geschichte zu erzählen, um ihn ein wenig an meiner Seite zu halten. Ich begann ohne weiteres: „Mir ist der Verlauf einer derartigen Gründung bekannt, welche auf wirklicher Notwendigkeit beruhte. Sie werden sehen. Es ist nicht sehr lange her, da fanden sich drei Maler durch Zufall in einer alten Stadt zusammen. Die drei Maler sprachen natürlich nicht von Kunst. Es schien wenigstens so. Sie verbrachten den Abend in der Hinterstube eines alten Gasthauses damit, sich Reiseabenteuer und Erlebnisse verschiedener Art mitzuteilen, ihre Geschichten wurden immer kürzer und wörtlicher,[4] und endlich blieben noch ein paar Witze übrig, mit denen[5] sie beständig hin und her warfen. Um jedem Mißverständnis vorzubeugen, muß ich übrigens gleich sagen, daß es wirkliche Künstler[6] waren, gewissermaßen von der Natur beabsichtigte, keine zufälligen. Dieser öde Abend in der Hinterstube kann nichts daran ändern; man wird ja auch gleich erfahren, wie er weiter verlief. Es traten andere Leute, profane, in dieses Gasthaus ein, die Maler fühlten sich gestört und brachen auf. Mit dem Augenblick, da sie aus dem Tor traten, waren sie andere Leute. Sie gingen in der Mitte der Gasse, einer vom anderen etwas getrennt.

Auf ihren Gesichtern waren noch die Spuren des Lachens, diese merkwürdige Unordnung der Züge, aber die Augen waren bei allen schon ernst und betrachtend. Plötzlich stieß der in der Mitte den Rechten an. Der verstand ihn sofort. Da war vor ihnen eine Gasse, schmal, von feiner, warmer Dämmerung erfüllt. Sie stieg etwas an, so daß sie perspektivisch sehr zur Geltung kam, und hatte etwas ungemein Geheimnisvolles und doch wieder Vertrautes. Die drei Maler ließen das einen Augenblick auf sich wirken. Sie sprachen nichts, denn sie wußten: sagen kann man das nicht. Sie waren ja deshalb Maler geworden, weil es manches gibt, was man nicht sagen kann. Plötzlich erhob sich der Mond irgendwo, zeichnete den einen Giebel silbern nach, und es stieg ein Lied aus einem Hofe auf. ‚Grobe Effekthascherei —‘ brummte der Mittlere, und sie gingen weiter. Sie schritten jetzt etwas näher nebeneinander hin, obwohl sie immer noch die ganze Breite der Gasse brauchten. So gerieten sie unversehens auf einen Platz. Jetzt war es der rechts, welcher die anderen aufmerksam machte. In dieser breiteren, freieren Szene hatte der Mond nichts Störendes, im Gegenteil, es war geradezu notwendig, daß er vorhanden war. Er ließ den Platz größer erscheinen, gab den Häusern ein überraschendes, lauschendes Leben, und die beleuchtete Fläche des Pflasters wurde mitten[7] rücksichtslos von einem Brunnen und seinem schweren Schlagschatten unterbrochen, eine Kühnheit, welche den Malern ausnehmend imponierte. Sie stellten sich nahe zusammen und saugten sozusagen an den Brüsten dieser Stimmung. Aber sie wurden unangenehm unterbrochen. Eilige, leichte Schritte näherten sich, aus dem Dunkel des Brunnens löste sich eine männliche Gestalt, empfing jene Schritte, und was sonst zu ihnen gehörte, mit der üblichen Zärtlichkeit, und der schöne Platz war auf einmal eine erbärmliche Illustration geworden, von welcher sich die drei Maler wie ein Maler[8] abwandten. ‚Da ist schon wieder dieses verdammte novellistische Element,‘ schrie der rechts, indem er das Liebespaar am Brunnen mit diesem korrekt technischen Ausdruck begriff.[9] Vereint in ihrem Groll, wanderten die Maler noch lange planlos in der Stadt herum, immerfort Motive entdeckend, aber auch jedesmal aufs neue empört durch die Art, mit welcher irgendein banaler Umstand die Stille und Einfachheit jedes Bildes zunichte machte. Gegen Mitternacht saßen sie im Gasthof in der Wohnstube des Linken, des Jüngsten, beisammen und dachten nicht ans Schlafengehen. Die nächtliche Wanderung hatte eine Menge Pläne und Entwürfe in ihnen wachgerufen, und da sie zugleich bewiesen hatte, daß sie eines Geistes seien im Grunde, tauschten sie jetzt, im höchsten Maße interessiert, ihre gegenseitigen Ansichten aus.[10] Man kann nicht behaupten, daß sie tadellose Sätze hervorbrachten, sie schlugen mit ein paar Worten herum,[11] die kein profaner Mensch begriffen hätte, aber untereinander verständigten sie sich dadurch so gut, daß sämtliche Zimmernachbarn bis gegen vier Uhr morgens nicht einschlafen konnten. Das lange Beisammensitzen hatte aber einen wirklichen, sichtbaren Erfolg. Etwas wie ein Verein wurde gebildet; das heißt, er war eigentlich schon da im Augenblick, als die Absichten und Ziele der drei Künstler sich so verwandt erwiesen, daß man sie nur schwer voneinander trennen konnte. Der erste gemeinsame Beschluß des „Vereins" erfüllte sich sofort. Man zog drei Stunden weit ins Land und mietete gemeinsam einen Bauernhof. In der Stadt zu bleiben, hätte zunächst keinen Sinn gehabt. Erst wollte man sich draußen den „Stil" erwerben, die gewisse persönliche Sicherheit, den Blick, die Hand und wie alle die Dinge heißen, ohne welche ein Maler zwar leben, aber nicht malen kann. — Zu allen diesen Tugenden sollte das Zusammenhalten helfen, der „Verein" eben, — besonders aber das Ehrenmitglied dieses Vereins: die Natur. Unter „Natur" stellen sich die Maler alles vor, was der liebe Gott selbst gemacht hat oder doch gemacht haben könnte, unter Umständen. Ein Zaun,

ein Haus, ein Brunnen — alle diese Dinge sind ja meistens
menschlichen Ursprungs. Aber wenn sie eine Zeitlang in
der Landschaft stehen, so daß sie gewisse Eigenschaften
von den Bäumen und Büschen und von ihrer anderen Umgebung angenommen haben, so gehen sie gleichsam in den
Besitz Gottes über und damit auch in das Eigentum des
Malers. Denn Gott und der Künstler haben dasselbe Vermögen und dieselbe Armut je nachdem. — Nun, an der Natur, welche um den gemeinsamen Bauernhof sich erstreckte,
glaubte Gott gewiß keinen besonderen Reichtum zu besitzen.
Es dauerte indessen nicht lang, so belehrten ihn die Maler
eines Besseren. Die Gegend war flach, das ließ sich nicht
leugnen. Aber durch die Tiefe ihrer Schatten und die Höhe
ihrer Lichter waren Abgründe und Gipfel vorhanden, zwischen denen eine Unzahl von Mitteltönen jenen Regionen
weiter Wiesen und fruchtbarer Felder entsprach, die den
materiellen Wert einer gebirgigen Gegend ausmachen. Es
waren nur wenig Bäume vorhanden und fast alle von derselben Art, botanisch betrachtet. Durch die Gefühle indessen,
welche sie ausdrückten, durch die Sehnsucht irgendeines
Astes oder die sanfte Ehrfurcht des Stammes erschienen sie
als eine große Anzahl individueller Wesen, und manche
Weide war eine Persönlichkeit, die den Malern durch die
Vielseitigkeit und Tiefe ihres Charakters Überraschung be-
reitete. Die Begeisterung war so groß, man fühlte sich so
sehr eins in dieser Arbeit, daß es nichts bedeuten will, daß
jeder der drei Maler nach Verlauf eines halben Jahres ein
eigenes Haus bezog; das hatte gewiß rein räumliche Gründe.
Aber etwas anderes wird man hier doch erwähnen müssen.
Die Maler wollten irgendwie das einjährige Bestehen ihres
Vereines, aus dem in so kurzer Zeit so viel Gutes gekommen
war, feiern, und jeder entschloß sich, zu diesem Zweck
heimlich die Häuser der anderen zu malen. An dem be-
stimmten Tage kamen sie, jeder mit seinen Bildern, zusammen. Es traf sich, daß sie gerade von ihren jeweiligen

Wohnungen, deren Lage, Zweckmäßigkeit usw. sich unter-
hielten. Sie ereiferten sich ziemlich stark, und es geschah,
daß während des Gesprächs jeder seiner mitgebrachten
Ölskizzen vergaß und spät nachts mit dem uneröffneten
Paket zu Hause ankam. Wie das geschehen konnte, ist
schwer begreiflich. Aber sie zeigten sich auch in der nächsten Zeit ihre Bilder nicht, und wenn der eine den andern
besuchte (was infolge vieler Arbeit immer seltener geschah),
fand er auf der Staffelei des Freundes Skizzen aus jener
ersten Zeit, da sie noch gemeinsam denselben Bauernhof
bewohnten. Aber einmal entdeckte der Rechte (er wohnte
jetzt auch zur Rechten, kann also weiter so heißen) bei
dem, welchen ich den Jüngsten genannt habe, eines jener
genannten, nicht verratenen Jubiläumsbilder. Er betrachtete
es eine Weile nachdenklich, trat damit ans Licht und lachte
plötzlich: ,Schau, das hab ich gar nicht gewußt, nicht ohne
Glück hast du da mein Haus aufgefaßt. Eine wahrhaft geist-
reiche Karikatur. Mit diesen Übertreibungen in Form und
Farbe, mit dieser kühnen Ausgestaltung[12] meines allerdings
etwas betonten Giebels, wirklich, es liegt etwas darin.' Der
Jüngste machte keines seiner vorteilhaftesten Gesichter, im
Gegenteil; er ging zum Mittleren in seiner Bestürzung, um
sich von ihm, dem Besonnensten, beruhigen zu lassen, denn
er war nach Vorfällen solcher Art gleich kleinmütig und
geneigt, an seiner Begabung zu zweifeln. Er traf den Mittleren nicht zu Haus und stöberte ein wenig im Atelier umher,
wobei ihm gleich ein Bild in die Augen fiel, das ihn merkwürdig abstieß. Es war ein Haus, aber ein richtiger Narr
mußte darin wohnen. Diese Fassade! Das konnte nur irgend-
einer gebaut haben, der von Architektur keine Idee hatte
und der seine armseligen, malerischen Ideen anwandte auf
ein Gebäude. Plötzlich stellte der Jüngste das Bild fort, als
ob es ihm die Finger verbrannt hätte. An dem linken Rande
desselben[13] hatte er das Datum jenes ersten Jubiläums gelesen und daneben: „Das Haus unseres Jüngsten." Er war-

tete natürlich den Hausherrn nicht ab, sondern kehrte etwas
verstimmt nach Hause zurück. Der Jüngste und der rechts
waren seither vorsichtig geworden. Sie suchten sich entfernte
Motive und dachten selbstverständlich nicht daran, für das
Fest des zweijährigen Bestehens ihres so förderlichen Vereins
etwas vorzubereiten. Um so eifriger arbeitete der ahnungs-
lose Mittlere daran, ein Motiv, das der Wohnung des Rechten
zunächst lag, zu malen. Etwas Unbestimmtes[14] hielt ihn
davon ab, dessen Haus selbst zum Vorwand seiner Arbeit
zu wählen. — Als er dem Rechtswohnenden das fertige Bild
überbrachte, verhielt sich dieser merkwürdig zurückhaltend,
schaute es nur flüchtig an und bemerkte etwas Beiläufiges.
Dann, nach einer Weile sagte er: ‚Ich habe übrigens gar
nicht gewußt, daß du so weit verreist warst in der letzten
Zeit.' ‚Wieso weit? Verreist?' Der Mittlere begriff nicht ein
Wort. ‚Nun — diese tüchtige Arbeit da,' erwiderte der andere,
‚offenbar doch irgendein holländisches Motiv —' Der be-
sonnene Mittlere lachte laut auf. ‚Köstlich, dieses hollän-
dische Motiv befindet sich vor deiner Türe.' Und er wollte
sich gar nicht beruhigen. Aber der Vereinsgenosse lachte
nicht, gar nicht. Er quälte sich ein Lächeln ab und meinte:
‚Ein guter Witz.' ‚Aber ganz und gar nicht, mach mal die
Tür auf, ich will dir gleich zeigen —' und der Mittlere ging
selbst auf die Türe zu. ‚Halt,' befahl der Hausherr, ‚und
ich erkläre dir somit, daß ich diese Gegend nie gesehen
habe und auch nie sehen werde, weil sie für mein Auge
überhaupt nicht existenzfähig ist.' ‚Aber,' machte der mittlere
Maler erstaunt. ‚Du bleibst dabei?' fuhr der Rechte gereizt
fort, ‚gut, ich reise heute noch ab. Du zwingst mich fortzu-
gehen, denn ich wünsche nicht, in dieser Gegend zu leben.
Verstanden?' — Damit war die Freundschaft zu Ende, aber
nicht der Verein; denn er ist bis heute nicht statutengemäß
aufgelöst worden. Niemand hat daran gedacht, und man
kann von ihm mit vollstem Rechte[15] sagen, daß er sich
über die ganze Erde verbreitet hat."

Ein Verein aus einem dringenden Bedürfnis heraus

„Man sieht," unterbrach mich der bereitwillige junge Mann, der schon beständig die Lippen spitzte, „wieder einer jener kolossalen Erfolge des Vereinslebens; gewiß sind viele hervorragende Meister aus dieser innigen Verbindung hervorgegangen —." „Erlauben Sie," bat ich, und er stäubte mir unversehens den Ärmel ab, „das war eigentlich erst die Einleitung zu meiner Geschichte, obwohl sie komplizierter ist als die Geschichte selbst. Also, ich sagte, daß der Verein sich über die ganze Erde verbreitet hatte, und dieses ist Tatsache. Seine drei Mitglieder flohen in wahrem Entsetzen voneinander. Nirgends war ihnen Ruhe gewährt. Immer fürchtete jeder, der andere könnte noch ein Stück seines Landes erkennen und durch seine ruchlose Darstellung entweihen, und als sie schon an drei entgegengesetzten Punkten der irdischen Peripherie angelangt waren, kam jedem der trostlose Einfall, daß sein Himmel, der Himmel, den er mühsam durch seine wachsende Eigenart erworben hatte, den anderen noch erreichbar sei. In diesem erschütternden Augenblick begannen sie, alle drei zugleich, mit ihren Staffeleien nach rückwärts zu gehen, und noch fünf Schritte, und sie wären vom Rande der Erde in die Unendlichkeit gefallen und müßten jetzt in rasender Geschwindigkeit die doppelte Bewegung um diese und um die Sonne vollführen. Aber Gottes Teilnahme und Aufmerksamkeit verhütete dieses grausame Schicksal. Gott erkannte die Gefahr und trat im letzten Moment (was hätte er auch sonst tun sollen?) heraus, in die Mitte des Himmels. Die drei Maler erschraken. Sie stellten die Staffelei fest und setzten die Palette auf. Diese Gelegenheit durften sie sich nicht entgehen lassen. Der liebe Gott erscheint nicht alle Tage und auch nicht jedem. Und jeder der Maler meinte natürlich, Gott stünde nur vor ihm. Im übrigen vertieften sie sich immer mehr in die interessante Arbeit. Und jedesmal, wenn Gott wieder zurück in den Himmel will, bittet der heilige

Lukas[16] ihn, noch eine Weile draußen zu bleiben, bis die drei Maler mit ihren Bildern fertig sind."

„Und die Herren haben diese Bilder ohne Zweifel schon ausgestellt, vielleicht gar verkauft?" fragte der Musiker in den sanftesten Tönen. „Wo denken Sie hin,"[17] wehrte ich ab. „Sie malen immer noch an Gott und werden ihn wohl bis an ihr eigenes Ende malen. Sollten sie aber (was ich für ausgeschlossen halte) noch einmal im Leben zusammenkommen und sich die Bilder, die sie von Gott inzwischen gemalt haben, zeigen, wer weiß: vielleicht würden diese Bilder sich kaum voneinander unterscheiden."

Da war auch schon der Bahnhof. Ich hatte noch fünf Minuten Zeit. Ich dankte dem jungen Mann für seine Begleitung und wünschte ihm alles Glück für den jungen Verein, den er so ausgezeichnet vertrat. Er tippte mit dem rechten Zeigefinger den Staub auf, der die Fensterbretter des kleinen Wartesaals zu bedrücken schien, und war sehr in Gedanken. Ich muß gestehen, ich schmeichelte mir schon, meine kleine Geschichte hätte ihn so nachdenklich gestimmt. Als er mir zum Abschied einen roten Faden aus dem Handschuh zog, riet ich ihm aus Dankbarkeit: „Sie können zurück ja über die Felder gehen, dieser Weg ist bedeutend näher[18] als die Straße." „Verzeihen Sie," verneigte sich der bereitwillige junge Mann, „ich werde doch wieder die Straße nehmen. Ich suche mich eben zu besinnen, wo das war. Während Sie die Güte hatten, mir einiges wirklich Bedeutende zu erzählen, glaubte ich eine Vogelscheuche im Acker zu bemerken, in einem alten Rock, und der eine — mir scheint der linke Ärmel war hängen geblieben an einem Pfahl, so daß er durchaus nicht wehte. Ich fühle nun gewissermaßen die Verpflichtung, meinen kleinen Tribut an den gemeinsamen Interessen der Menschheit, die mir auch als eine Art Verein erscheint, in welchem jeder etwas zu leisten hat, dadurch zu entrichten, daß ich diesen linken Ärmel seinem eigentlichen Sinne, nämlich: zu wehen, zurückgebe . . ." Der junge Mann entfernte sich mit dem liebenswürdigsten Lächeln. Ich aber hätte beinah meinen Zug versäumt.

Bruchstücke dieser Geschichte wurden von dem jungen Manne an einem „Abende" des Vereines gesungen. Weiß Gott, wer ihm die Musik dazu erfunden hat. Herr Baum, der Fahnenvater, hat sie den Kindern mitgebracht, und die Kinder haben sich einige Melodien daraus gemerkt.

DER BETTLER UND DAS STOLZE FRÄULEIN

DER BETTLER UND DAS STOLZE FRÄULEIN

Es traf sich, daß wir — der Herr Lehrer und ich — Zeugen wurden folgender kleinen Begebenheit. Bei uns, am Waldrand, steht bisweilen ein alter Bettler. Auch heute war er wieder da, ärmer, elender als je, durch ein mitleidiges Mimikry fast ununterscheidbar von den Latten des morschen Bretterzauns, an denen er lehnte. Aber da begab es sich, daß ein ganz kleines Mädchen auf ihn zugelaufen kam, um ihm eine kleine Münze zu schenken. Das war weiter nicht verwunderlich, überraschend war nur, wie sie das tat. Sie machte einen schönen braven Knicks, reichte dem Alten rasch, als ob es niemand merken sollte, ihre Gabe, knickste wieder und war schon davon. Diese beiden Knickse aber waren mindestens eines Kaisers wert. Das ärgerte den Herrn Lehrer ganz besonders. Er wollte rasch auf den Bettler zugehen, wahrscheinlich, um ihn von seiner Zaunlatte zu verjagen; denn wie man weiß, war er im Vorstand des Armenvereins und gegen den Straßenbettel eingenommen. Ich hielt ihn zurück. „Die Leute werden von uns unterstützt, ja man kann wohl sagen, versorgt," eiferte er. „Wenn sie auf der Straße auch noch betteln, so ist das einfach — Übermut." „Verehrter Herr Lehrer" — suchte ich ihn zu beruhigen, aber er zog mich immer noch nach dem Waldrand hin. „Verehrter Herr Lehrer —," bat ich, „ich muß Ihnen eine Geschichte erzählen." „So dringend?" fragte er giftig. Ich nahm es ernst: „Ja, eben jetzt. Ehe Sie vergessen, was wir da gerade zufällig beobachtet haben." Der Lehrer mißtraute mir seit meiner letzten Geschichte. Ich las das von seinem Gesichte und begütigte: „Nicht vom lieben Gott, wirklich nicht. Der liebe Gott kommt in meiner Geschichte nicht vor. Es ist etwas Historisches." Damit hatte ich gewonnen. Man muß nur das Wort „Historie" sagen,

und schon gehen jedem Lehrer die Ohren auf; denn die
Historie ist etwas durchaus Achtbares, Unverfängliches und
oft pädagogisch Verwendbares. Ich sah, daß der Herr Lehrer
wieder seine Brille putzte, ein Zeichen, daß seine Sehkraft
sich in die Ohren geschlagen hatte, und diesen günstigen
Moment wußte ich geschickt zu benutzen. Ich begann:
„Es war in Florenz, Lorenzo de' Medici,[1] jung, noch nicht
Herrscher, hatte gerade sein Gedicht ‚Trionfo di Bacco ed
Arianna'[2] ersonnen, und schon wurden alle Gärten davon
laut. Damals gab es lebende Lieder. Aus dem Dunkel des
Dichters stiegen sie in die Stimmen und trieben auf ihnen,
wie auf silbernen Kähnen, furchtlos, ins Unbekannte. Der
Dichter begann ein Lied, und alle, die es sangen, vollendeten
es. Im ‚Trionfo' wird, wie in den meisten Liedern jener
Zeit, das Leben gefeiert, diese Geige mit den lichten, singen-
den Saiten und ihrem dunklen Hintergrund: dem Rauschen
des Blutes. Die ungleich langen Strophen steigen in eine
taumelnde Lustigkeit hinauf, aber dort, wo diese atemlos
wird, setzt jedesmal ein kurzer, einfacher Kehrreim an,
der sich von der schwindelnden Höhe niederneigt und, vor
dem Abgrund bang, die Augen zu schließen scheint. Er
lautet:
Wie schön ist die Jugund, die uns erfreut,
Doch wer will sie halten? Sie flieht und bereut,
Und wenn einer fröhlich sein will, der sei's heut,
Und für morgen ist keine Gewißheit.
Ist es wunderlich, daß über die Menschen, welche dieses
Gedicht sangen, eine Hast hereinbrach, ein Bestreben, alle
Festlichkeit auf dieses Heute zu türmen, auf den einzigen
Fels, auf dem zu bauen sich verlohnt? Und so kann man
sich das Gedränge der Gestalten auf den Bildern der floren-
tiner Maler erklären, die sich bemühten, alle ihre Fürsten
und Frauen und Freunde in einem Gemälde zu vereinen,
denn man malte langsam, und wer konnte wissen, ob zur
Zeit des nächsten Bildes alle noch so jung und bunt und

einig sein würden. Am deutlichsten sprach dieser Geist der Ungeduld sich begreiflichermaßen bei den Jünglingen aus. Die glänzendsten von ihnen saßen nach einem Gastmahle auf der Terrasse des Palazzo Strozzi[3] beisammen und plauderten von den Spielen, die demnächst vor der Kirche Santa Croce[4] stattfinden sollten. Etwas abseits in einer Loggia[5] stand Palla degli Albizzi[6] mit seinem Freunde Tomaso, dem Maler. Sie schienen etwas in wachsender Erregung zu verhandeln, bis Tomaso plötzlich rief: ‚Das tust du nicht, ich wette, das tust du nicht!‘ Nun wurden die anderen aufmerksam. ‚Was habt ihr?‘ erkundigte sich Gaetano Strozzi[7] und kam mit einigen Freunden näher. Tomaso erklärte: ‚Palla will auf dem Feste vor Beatrice Altichieri,[8] dieser Hochmütigen, niederknien und sie bitten, sie möchte ihm gestatten, den staubigen Saum ihres Kleides zu küssen.‘ Alle lachten, und Lionardo, aus dem Hause Ricardi,[9] bemerkte: ‚Palla wird sich das überlegen; er weiß wohl, daß die schönsten Frauen ein Lächeln für ihn haben, das man sonst niemals bei ihnen sieht.‘ Und ein anderer fügte hinzu: ‚Und Beatrice ist noch so jung. Ihre Lippen sind noch zu kinderhaft hart, um zu lächeln. Darum scheint sie so stolz.‘ ‚Nein —,‘ erwiderte Palla degli Albizzi mit übermäßiger Heftigkeit, ‚sie ist stolz, daran ist nicht ihre Jugend schuld. Sie ist stolz wie ein Stein in den Händen Michelangelos, stolz wie eine Blume an einem Madonnenbild, stolz wie ein Sonnenstrahl, der über Diamanten geht —‘ Gaetano Strozzi unterbrach ihn etwas streng: ‚Und du, Palla, bist nicht auch du stolz? Was du da sagst, das kommt mir vor, als wolltest du dich unter die Bettler stellen, die um die Vesper im Hofe der Sma Annunziata[10] warten, bis Beatrice Altichieri ihnen mit abgewendetem Gesicht einen Soldo[11] schenkt.‘ ‚Ich will auch dieses tun!‘ rief Palla mit glänzenden Augen, drängte sich durch die Freunde nach der Treppe durch und verschwand. Tomaso wollte ihm nach. ‚Laß,‘ hielt Strozzi ihn ab, ‚er muß jetzt allein sein, da wird er am ehesten

vernünftig werden.' Dann zerstreuten sich die jungen Leute
in die Gärten.

Im Vorhofe der Santissima Annunziata warteten auch
an diesem Abend etwa zwanzig Bettler und Bettlerinnen
auf die Vesper. Beatrice, welche sie alle dem Namen nach
kannte und bisweilen auch in ihre armen Häuser an der
Porta San Niccolò[12] zu den Kindern und zu den Kranken
kam, pflegte jeden von ihnen im Vorübergehen mit einem
kleinen Silberstück zu beschenken. Heute schien sie sich
etwas zu verspäten; die Glocken hatten schon gerufen, und
nur Fäden ihres Klanges hingen noch an den Türmen über
der Dämmerung. Es entstand eine Unruhe unter den Armen, auch weil ein neuer unbekannter Bettler sich in das
Dunkel des Kirchentors geschlichen hatte, und eben wollten
sie sich seiner erwehren in ihrem Neid, als ein junges Mädchen in schwarzem, fast nonnenhaftem Kleide im Vorhofe
erschien und, durch ihre Güte gehemmt, von einem zum
anderen ging, während eine der begleitenden Frauen den
Beutel offen hielt, aus welchem sie ihre kleinen Gaben holte.
Die Bettler stürzten in die Knie, schluchzten und suchten
ihre welken Finger eine Sekunde lang an die Schleppe des
schlichten Kleides ihrer Wohltäterin zu legen, oder sie
küßten auch den letzten Saum mit ihren nassen, stammeln-
den Lippen. Die Reihe war zu Ende; es hatte auch keiner
von den Beatrice wohlbekannten Armen gefehlt. Aber da
gewahrte sie unter dem Schatten des Tores noch eine fremde
Gestalt in Lumpen und erschrak. Sie geriet in Verwirrung.
Alle ihre Armen hatte sie schon als Kind gekannt, und
sie zu beschenken, war ihr etwas Selbstverständliches geworden, eine Handlung wie etwa die, daß man die Finger
in die Marmorschalen voll heiligen Wassers hält, die an
den Türen jeder Kirche stehen. Aber es war ihr nie eingefallen, daß es auch fremde Bettler geben könnte; wie sollte
man das Recht haben, auch diese zu beschenken, da man
sich das Vertrauen ihrer Armut nicht verdient hatte durch

irgendein Wissen darum? Wäre es nicht eine unerhörte Überhebung gewesen, einem Unbekannten ein Almosen zu reichen? Und im Widerstreit dieser dunkeln Gefühle ging das Mädchen, als ob es ihn nicht bemerkt hätte, an dem neuen Bettler vorbei und trat rasch in die kühle, hohe Kirche ein. Aber als drinnen die Andacht begann, konnte sie sich keines Gebetes erinnern. Eine Angst überkam sie, daß der arme Mann nach der Vesper nicht mehr am Tore zu finden sein würde und daß sie nichts getan hatte, seine Not zu lindern, während die Nacht so nahe war, darin alle Armut hilfloser und trauriger ist als am Tag. Sie machte derjenigen von ihren Frauen, die den Beutel trug, ein Zeichen und zog sich mit ihr nach dem Eingang zurück. Dort war es indessen leer geworden; aber der Fremde stand immer noch, an eine Säule gelehnt, da und schien dem Gesang zu lauschen, der seltsam fern, wie aus Himmeln, aus der Kirche kam. Sein Gesicht war fast ganz verhüllt, wie es manchmal bei Aussätzigen der Fall ist, die ihre häßlichen Wunden erst entblößen, wenn man nahe vor ihnen steht und sie sicher sind, daß Mitleid und Ekel in gleichem Maße zu ihren Gunsten reden. Beatrice zögerte. Sie hatte den kleinen Beutel selbst in Händen und fühlte nur wenige geringe Münzen darin. Aber mit einem raschen Entschluß trat sie auf den Bettler zu und sagte mit unsicherer, etwas singender Stimme und ohne die flüchtenden Blicke von den eigenen Händen zu heben: ‚Nicht um Euch zu kränken, Herr . . . mir ist, erkenn ich Euch recht, ich bin in Eurer Schuld. Euer Vater, ich glaube, hat in unserem Haus das reiche Geländer gemacht, aus getriebenem Eisen, wißt Ihr, welches die Treppe uns ziert. Später einmal — fand sich in der Kammer, — darin er manchmal bei uns zu arbeiten pflegte, — ein Beutel — ich denke, er hat ihn verloren — gewiß —.‘ Aber die hilflose Lüge ihrer Lippen drückte das Mädchen vor dem Fremden in die Kniee. Sie zwang den

Beutel aus Brokat in seine vom Mantel verhüllten Hände und stammelte: ,Verzeiht —.'

Sie fühlte noch, daß der Bettler zitterte. Dann flüchtete Beatrice mit der erschrockenen Begleiterin zurück in die Kirche. Aus dem eine Weile geöffneten Tor brach ein kurzer Jubel von Stimmen. — Die Geschichte ist zu Ende. Messer[13] Palla degli Albizzi blieb in seinen Lumpen. Er verschenkte seine ganze Habe und ging barfuß und arm ins Land. Später soll er in der Nähe von Subiaco[14] gewohnt haben."

„Zeiten, Zeiten," sagte der Herr Lehrer. „Was hilft das alles; er war auf dem Wege, ein Wüstling zu werden, und wurde durch diese Begebenheit ein Landstreicher, ein Sonderling. Heute weiß gewiß kein Mensch mehr von ihm."

„Doch," — erwiderte ich bescheiden, — „sein Name wird bisweilen bei den großen Litaneien[15] in den katholischen Kirchen unter den Fürbittern[16] genannt; denn er ist ein Heiliger geworden."

Die Kinder haben auch diese Geschichte vernommen, und sie behaupten, zum Ärger des Herrn Lehrer, auch in ihr käme der liebe Gott vor. Ich bin auch ein wenig erstaunt darüber; denn ich habe dem Herrn Lehrer doch versprochen, ihm eine Geschichte ohne den lieben Gott zu erzählen. Aber freilich: die Kinder müssen es wissen!

EINE GESCHICHTE, DEM DUNKEL ERZÄHLT

EINE GESCHICHTE, DEM DUNKEL ERZÄHLT

Ich wollte den Mantel umnehmen und zu meinem Freunde Ewald gehen. Aber ich hatte mich über einem Buche versäumt, einem alten Buche übrigens, und es war Abend geworden, wie es in Rußland Frühling wird. Noch vor einem Augenblick war die Stube bis in die fernsten Ecken klar, und nun taten alle Dinge, als ob sie nie etwas anderes gekannt hätten als Dämmerung; überall gingen große dunkle Blumen auf, und wie auf Libellenflügeln glitt Glanz um ihre samtenen Kelche.

Der Lahme war gewiß nicht mehr am Fenster. Ich blieb also zu Haus. Was hatte ich ihm doch erzählen wollen? Ich wußte es nicht mehr. Aber eine Weile später fühlte ich, daß jemand diese verlorene Geschichte von mir verlangte, irgendein einsamer Mensch vielleicht, der fern am Fenster seiner finstern Stube stand, oder vielleicht dieses Dunkel selbst, das mich und ihn und die Dinge umgab. So geschah es, daß ich dem Dunkel erzählte. Und es neigte sich immer näher zu mir, so daß ich immer leiser sprechen konnte, ganz, wie es zu meiner Geschichte paßt. Sie handelt übrigens in der Gegenwart und beginnt.

Nach langer Abwesenheit kehrte Doktor Georg Laßmann in seine enge Heimat zurück. Er hatte nie viel dort besessen, und jetzt lebten ihm nur mehr zwei Schwestern in der Vaterstadt, beide verheiratet, wie es schien, gut verheiratet; diese nach zwölf Jahren wiederzusehen, war der Grund seines Besuchs. So glaubte er selbst. Aber nachts, während er im überfüllten Zuge nicht schlafen konnte, wurde ihm klar, daß er eigentlich um seiner Kindheit willen kam, und hoffte, in den alten Gassen irgend etwas wieder zu finden: ein Tor, einen Turm, einen Brunnen, irgendeinen Anlaß zu einer Freude oder zu einer Traurigkeit, an welcher er sich

wieder erkennen konnte. Man verliert sich ja so im Leben.
Und da fiel ihm verschiedenes ein: die kleine Wohnung
in der Heinrichsgasse mit den glänzenden Türklinken und
den dunkelgestrichenen Dielen, die geschonten Möbel und
seine Eltern, diese beiden abgenützten Menschen, fast ehrfürchtig neben ihnen; die schnellen, gehetzten Wochentage
und die Sonntage, die wie ausgeräumte Säle waren, die
seltenen Besuche, die man lachend und in Verlegenheit
empfing, das verstimmte Klavier, der alte Karnarienvogel,
der ererbte Lehnstuhl, auf dem man nicht sitzen durfte, ein
Namenstag, ein Onkel, der aus Hamburg kommt, ein Puppentheater, ein Leierkasten, eine Kindergesellschaft, und
jemand ruft: ‚Klara'. Der Doktor wäre fast eingeschlafen.
Man steht in einer Station, Lichter laufen vorüber, und
der Hammer geht horchend durch die klingenden Räder.
Und das ist wie: Klara, Klara. Klara, überlegt der Doktor,
jetzt ganz wach, wer war das doch? Und gleich darauf
fühlt er ein Gesicht, ein Kindergesicht mit blondem, glattem
Haar. Nicht daß er es schildern könnte, aber er hat die
Empfindung von etwas Stillem, Hilflosem, Ergebenem, von
ein paar schmalen Kinderschultern, durch ein verwaschenes
Kleidchen noch mehr zusammengepreßt, und er dichtet dazu
ein Gesicht — aber da weiß er auch schon, er muß es nicht
dichten. Es ist da — oder vielmehr es war da — damals. So
erinnert sich Doktor Laßmann an seine einzige Gespielin
Klara, nicht ohne Mühe. Bis zur Zeit, da er in eine Erziehungsanstalt kam, etwa zehn Jahre alt, hat er alles mit
ihr geteilt, was ihm begegnete, das Wenige (oder das
Viele?). Klara hatte keine Geschwister, und er hatte so
gut wie keine; denn seine älteren Schwestern kümmerten
sich nicht um ihn. Aber seither hat er niemanden je nach
ihr gefragt. Wie war das doch möglich? Er lehnte sich
zurück. Sie war ein frommes Kind, erinnerte er sich noch,
und dann fragte er sich: Was mag aus ihr geworden sein?
Eine Zeitlang ängstigte ihn der Gedanke, sie könnte ge-

storben sein. Eine unermeßliche Bangigkeit überfiel ihn in dem engen, gedrängten Coupé; alles schien diese Annahme zu bestätigen: sie war ein kränkliches Kind, sie hatte es zu Hause nicht besonders gut, sie weinte oft; unzweifelhaft: sie ist tot. Der Doktor ertrug es nicht länger; er störte einzelne Schlafende und schob sich zwischen ihnen durch in den Gang des Waggons.[1] Dort öffnete er ein Fenster und schaute hinaus in das Schwarz mit den tanzenden Funken. Das beruhigte ihn. Und als er später in das Coupé zurückkehrte, schlief er trotz der unbequemen Lage bald ein.

Das Wiedersehen mit den beiden verheirateten Schwestern verlief nicht ohne Verlegenheiten. Die drei Menschen hatten vergessen, wie weit sie einander, trotz ihrer engen Verwandtschaft, doch immer geblieben waren, und versuchten eine Weile, sich wie Geschwister zu benehmen. Indessen kamen sie bald stillschweigend überein, zu dem höflichen Mittelton ihre Zuflucht zu nehmen, den der gesellschaftliche Verkehr für alle Fälle geschaffen hat.

Er war bei der jüngeren Schwester, deren Mann in besonders günstigen Verhältnissen war, Fabrikant mit dem Titel kaiserlicher Rat;[2] und es war nach dem vierten Gange des Diners, als der Doktor fragte: ‚Sag mal, Sophie, was ist denn aus Klara geworden?‘ ‚Welcher Klara?‘ ‚Ich kann mich ihres Familiennamens nicht erinnern. Der kleinen, weißt du, der Nachbarstochter, mit der ich als Kind gespielt habe?‘ ‚Ach, Klara Söllner meinst du?‘ ‚Söllner, richtig, Söllner. Jetzt fällt mir erst ein: der alte Söllner, das war ja dieser gräßliche Alte — — aber was ist mit Klara?‘ Die Schwester zögerte: ‚Sie hat geheiratet — übrigens lebt sie jetzt ganz zurückgezogen.‘ ‚Ja,‘ machte der Herr Rat, und sein Messer glitt kreischend über den Teller, ‚ganz zurückgezogen.‘ ‚Du kennst sie auch?‘ wandte sich der Doktor an seinen Schwager. ‚Ja-a-a — so flüchtig; sie ist ja hier ziemlich bekannt.‘ Die beiden Gatten wechselten einen Blick des Einverständnisses. Der Doktor merkte, daß es ihnen aus irgendeinem Grunde unangenehm war, über diese Angelegenheit zu reden, und fragte nicht weiter.

Um so mehr Lust zu diesem Thema bewies der Herr Rat, als die Hausfrau die Herren beim schwarzen Kaffee zurückgelassen hatte. ‚Diese Klara,‘ fragte er mit listigem Lächeln und betrachtete die Asche, die von seiner Zigarre in den silbernen Becher fiel, ‚sie soll doch ein stilles und überdies häßliches Kind gewesen sein?‘ Der Doktor schwieg. Der Herr Rat rückte vertraulich näher: ‚Das war eine Geschichte! – Hast du nie davon gehört?‘ ‚Aber ich habe ja mit niemandem gesprochen.‘ ‚Was, gesprochen,‘ lächelte der Rat fein, ‚man hat es ja in den Zeitungen lesen können.‘ ‚Was?‘ fragte der Doktor nervös.

‚Also, sie ist ihm durchgegangen‘ – hinter einer Wolke Rauches her schickte der Fabrikant diesen überraschenden Satz und wartete in unendlichem Behagen die Wirkung desselben ab. Aber diese schien ihm nicht zu gefallen. Er nahm eine geschäftliche Miene an, setzte sich gerade und begann in anderem berichtenden Ton, gleichsam gekränkt. ‚Hm. Man hatte sie verheiratet an den Baurat Lehr. Du wirst ihn nicht mehr gekannt haben. Kein alter Mann, in meinem Alter. Reich, durchaus anständig, weißt du, durchaus anständig. Sie hatte keinen Groschen und war obendrein nicht schön, ohne Erziehung usw. Aber der Baurat wünschte ja auch keine große Dame, eine bescheidene Hausfrau. Aber die Klara – sie wurde überall in der Gesellschaft aufgenommen, man brachte ihr allgemein Wohlwollen entgegen, – wirklich – man benahm sich – also sie hätte sich eine Position schaffen können mit Leichtigkeit, weißt du – aber die Klara, eines Tages – kaum zwei Jahre nach der Hochzeit: fort ist sie. Kannst du dir denken: fort. Wohin? Nach Italien. Eine kleine Vergnügungsreise, natürlich nicht allein. Wir haben sie schon im ganzen letzten Jahr nicht eingeladen gehabt, – als ob wir geahnt hätten! Der Baurat, mein guter Freund, ein Ehrenmann, ein Mann –‘

‚Und Klara?' unterbrach ihn der Doktor und erhob sich.
‚Ach so — ja, na die Strafe des Himmels hat sie erreicht.
Also der Betreffende — man sagt ein Künstler, weißt du
— ein leichter Vogel, natürlich nur so — Also wie sie aus
Italien zurück waren, in München: adieu und ward nicht
mehr gesehen. Jetzt sitzt sie mit ihrem Kind!'

Doktor Laßmann ging erregt auf und nieder: ‚In München?' ‚Ja, in München,' antwortete der Rat und erhob sich
gleichfalls. ‚Es soll ihr übrigens recht elend gehen —' ‚Was
heißt elend —?' ‚Nun,' der Rat betrachte seine Zigarre, ‚pe-
kuniär und dann überhaupt — Gott — so eine Existenz
— — —' Plötzlich legte er seine gepflegte Hand dem Schwager
auf die Schulter, seine Stimme gluckste vor Vergnügen:
‚Weißt du, übrigens erzählte man sich, sie lebe von —' Der
Doktor drehte sich kurz um und ging aus der Tür. Der
Herr Rat, dem die Hand von der Schulter des Schwagers
gefallen war, brauchte zehn Minuten, um sich von seinem
Staunen zu erholen. Dann ging er zu seiner Frau hinein
und sagte ärgerlich: ‚Ich hab es immer gesagt, dein Bruder
ist ein Sonderling.' Und diese, die eben eingenickt war,
gähnte träge: ‚Ach Gott, ja.'

Vierzehn Tage später reiste der Doktor ab. Er wußte mit
einemmal, daß er seine Kindheit anderswo suchen müsse.
In München fand er im Adreßbuch: Klara Söllner, Schwabing,[3] Straße und Nummer. Er meldete sich an und fuhr
hinaus. Eine schlanke Frau begrüßte ihn in einer Stube
voll Licht und Güte.

‚Georg, und Sie erinnern sich meiner?'

Der Doktor staunte. Endlich sagte er: ‚Also das sind
Sie, Klara;' sie hielt ihr stilles Gesicht mit der reinen Stirn
ganz ruhig, als wollte sie ihm Zeit geben, sie zu erkennen.
Das dauerte lange. Schließlich schien der Doktor etwas
gefunden zu haben, was ihm bewies, daß seine alte Spielgefährtin wirklich vor ihm stünde. Er suchte noch einmal
ihre Hand und drückte sie; dann ließ er sie langsam los und

schaute in der Stube umher. Diese schien nichts Über-
flüssiges zu enthalten. Am Fenster ein Schreibtisch mit
Schriften und Büchern, an welchem Klara eben mußte ge-
sessen haben. Der Stuhl war noch zurückgeschoben. ‚Sie
haben geschrieben?‘ . . . und der Doktor fühlte, wie dumm
diese Frage war. Aber Klara antwortete unbefangen: ‚Ja,
ich übersetze.‘ ‚Für den Druck?‘ ‚Ja,‘ sagte Klara einfach,
‚für einen Verlag.‘ Georg bemerkte an den Wänden einige
italienische Photographien. Darunter das „Konzert“ des
Giorgione.[4] ‚Sie lieben das?‘ Er trat nahe an das Bild heran.
‚Und Sie?‘ ‚Ich habe das Original nie gesehen; es ist in
Florenz, nicht wahr?‘ ‚Im Pitti.[5] Sie müssen hinreisen.‘ ‚Zu
diesem Zweck.‘ Eine freie und einfache Heiterkeit war über
ihr. Der Doktor sah nachdenklich auf.

‚Was haben Sie, Georg. Wollen Sie sich nicht setzen?‘
‚Ich bin traurig,‘ zögerte er. ‚Ich habe gedacht – aber Sie
sind ja gar nicht elend –‘ fuhr es plötzlich heraus. Klara
lächelte: ‚Sie haben meine Geschichte gehört?‘ ‚Ja, das
heißt –‘ ‚O,‘ unterbrach ihn Klara schnell, als sie merkte,
daß seine Stirn sich verdunkelte, ‚es ist nicht die Schuld
der Menschen, daß sie anders davon reden. Die Dinge,
die wir erleben, lassen sich oft nicht ausdrücken, und wer
sie dennoch erzählt, muß notwendig Fehler begehen –.‘
Pause. Und der Doktor: ‚Was hat Sie so gütig gemacht?‘
‚Alles,‘ sagte sie leise und warm. ‚Aber warum sagen Sie:
gütig?‘ ‚Weil – weil Sie eigentlich hätten hart werden müssen. Sie waren ein so schwaches, hilfloses Kind; solche
Kinder werden später entweder hart oder –‘ ‚Oder sie sterben – wollen Sie sagen. Nun, ich bin auch gestorben. O,
ich bin viele Jahre gestorben. Seit ich Sie zum letztenmal
gesehen habe, zu Haus, bis –‘ Sie langte etwas vom Tische
her: ‚Sehen Sie, das ist sein Bild. Es ist etwas geschmeichelt.
Sein Gesicht ist nicht so klar, aber – lieber, einfacher. Ich
werde Ihnen dann gleich unser Kind zeigen, es schläft jetzt

nebenan. Es ist ein Bub. Heißt Angelo, wie er. Er ist jetzt
fort, auf Reisen, weit.'

,Und Sie sind ganz allein?' fragte der Doktor zerstreut,
immer noch über dem Bilde.

,Ja, ich und das Kind. Ist das nicht genug? Ich will Ihnen
erzählen, wie das kommt. Angelo ist Maler. Sein Name ist
wenig bekannt, Sie werden ihn nie gehört haben. Bis in
die letzte Zeit hat er gerungen mit der Welt, mit seinen
Plänen, mit sich und mit mir. Ja, auch mit mir; denn ich
bat ihn seit einem Jahr: du mußt reisen. Ich fühlte, wie
sehr ihm das not tat. Einmal sagte er scherzend: ,Mich
oder ein Kind?' ,Ein Kind, sagte ich, und dann reiste er.'

,Und wann wird er zurückkehren?'

,Bis das Kind seinen Namen sagen kann, so ist es ab-
gemacht.' Der Doktor wollte etwas bemerken. Aber Klara
lachte: ,Und da es ein schwerer Name ist, wird es noch
eine Weile dauern. Angelino wird im Sommer erst zwei
Jahre.'

,Seltsam,' sagte der Doktor. ,Was, Georg?' ,Wie gut Sie
das Leben verstehen. Wie groß Sie geworden sind, wie
jung. Wo haben Sie Ihre Kindheit hingetan? — wir waren
doch beide so — so hilflose Kinder. Das läßt sich doch nicht
ändern oder ungeschehen machen.' ,Sie meinen also, wir
hätten an unserer Kindheit leiden müssen, von Rechts wegen?' ,Ja, gerade das meine ich. An diesem schweren Dunkel
hinter uns, zu dem wir so schwache, so ungewisse Beziehungen behalten. Da ist eine Zeit: wir haben unsere Erstlinge
hineingelegt, allen Anfang, alles Vertrauen, die Keime zu
alledem, was vielleicht einmal werden sollte. Und plötzlich wissen wir: Alles das ist versunken in einem Meer,
und wir wissen nicht einmal genau wann. Wir haben es
gar nicht bemerkt. Als ob jemand sein ganzes Geld zu-
sammensuchte, sich dafür eine Feder kaufte und sie auf
den Hut steckte, hui: der nächste Wind wird sie mitnehmen.
Natürlich kommt er zu Hause ohne Feder an, und ihm

bleibt nichts übrig, als nachzudenken, wann sie wohl könnte
davongeflogen sein.'

,Sie denken daran, Georg?'

,Schon nicht mehr. Ich habe es aufgegeben. Ich beginne
irgendwo hinter meinem zehnten Jahr, dort, wo ich auf-
gehört habe zu beten. Das andere gehört nicht mir.'

,Und wie kommt es dann, daß Sie sich an mich erinnert
haben?'

,Darum komme ich ja zu Ihnen. Sie sind der einzige
Zeuge jener Zeit. Ich glaubte, ich könnte in Ihnen wieder-
finden, — was ich in mir nicht finden kann. Irgendeine Bewegung, ein Wort, einen Namen, an dem etwas hängt —
eine Aufklärung —' Der Doktor senkte den Kopf in seine
kalten, unruhigen Hände.

Frau Klara dachte nach: ,Ich erinnere mich an so weniges
aus meiner Kindheit, als wären tausend Leben dazwischen.
Aber jetzt, wie Sie mich so daran mahnen, fällt mir etwas ein.
Ein Abend. Sie kamen zu uns, unerwartet; Ihre Eltern waren ausgegangen, ins Theater oder so. Bei uns war alles hell.
Mein Vater erwartete einen Gast, einen Verwandten, einen
entfernten reichen Verwandten, wenn ich mich recht ent-
sinne. Er sollte kommen aus, aus—ich weiß nicht woher, jedenfalls von weit. Bei uns wartete man schon seit zwei Stunden auf ihn. Die Türen waren offen, die Lampen brannten,
die Mutter ging von Zeit zu Zeit und glättete eine Schutzdecke auf dem Sofa, der Vater stand am Fenster. Niemand
wagte sich zu setzen, um keinen Stuhl zu verrücken. Da
Sie gerade kamen, warteten Sie mit uns. Wir Kinder horchten
an der Tür. Und je später es wurde, einen desto wunder-
bareren Gast erwarteten wir. Ja, wir zitterten sogar, er könnte
kommen, ehe er jenen letzten Grad von Herrlichkeit erreicht
haben würde, dem er mit jeder Minute seines Ausbleibens
näher kam. Wir fürchteten nicht, er könnte überhaupt nicht
erscheinen; wir wußten bestimmt: er kommt, aber wir wollten ihm Zeit lassen, groß und mächtig zu werden.'

Plötzlich hob der Doktor den Kopf und sagte traurig:
‚Das also wissen wir beide, daß er nicht kam —. Ich habe
es auch nicht vergessen gehabt.' ‚Nein,' — bestätigte Klara,
‚er kam nicht —.' Und nach einer Pause: ‚Aber es war doch
schön!' ‚Was?' ‚Nun so — das Warten, die vielen Lampen,
— die Stille — das Feiertägliche.'
Etwas rührte sich im Nebenzimmer. Frau Klara entschuldigte sich für einen Augenblick; und als sie hell und heiter
zurückkam, sagte sie: ‚Wir können dann hineingehen. Er
ist jetzt wach und lächelt. — Aber was wollten Sie eben
sagen?'
‚Ich habe mir eben überlegt, was Ihnen könnte geholfen
haben zu — zu sich selbst, zu diesem ruhigen Sichbesitzen.
Das Leben hat es Ihnen doch nicht leicht gemacht. Offenbar half Ihnen etwas, was mir fehlt?' ‚Was sollte das sein,
Georg?' Klara setzte sich neben ihn.
‚Es ist seltsam; als ich mich zum erstenmal wieder Ihrer
erinnerte, vor drei Wochen nachts, auf der Reise, da fiel
mir ein: sie war ein frommes Kind. Und jetzt, seit ich Sie
gesehen habe, trotzdem Sie so ganz anders sind, als ich
erwartete — trotzdem, ich möchte fast sagen, nur noch desto
sicherer, empfinde ich, was Sie geführt hat, mitten durch
alle Gefahren, war Ihre — Ihre Frömmigkeit.'
‚Was nennen Sie Frömmigkeit?'
‚Nun, Ihr Verhältnis zu Gott, Ihre Liebe zu ihm, Ihr
Glauben.'
Frau Klara schloß die Augen: ‚Liebe zu Gott? Lassen
Sie mich nachdenken.' Der Doktor betrachtete sie gespannt.
Sie schien ihre Gedanken langsam auszusprechen, so wie
sie ihr kamen: ‚Als Kind — hab ich da Gott geliebt? Ich
glaube nicht. Ja, ich habe nicht einmal — es hätte mir wie
eine wahnsinnige Überhebung — das ist nicht das richtige
Wort — wie die größte Sünde geschienen, zu denken: Er
ist. Als ob ich ihn damit gezwungen hätte, in mir, in diesem
schwachen Kind, mit den lächerlich langen Armen, zu sein,

in unserer armen Wohnung, in der alles unecht und lügnerisch war, von den Bronze-Wandtellern aus Papiermaché bis zum Wein in den Flaschen, die so teure Etiketten trugen. Und später —' Frau Klara machte eine abwehrende Bewegung mit den Händen, und ihre Augen schlossen sich fester, als fürchteten sie, durch die Lider etwas Furchtbares zu sehen — ,ich hätte ihn ja hinausdrängen müssen aus mir, wenn er in mir gewohnt hätte damals. Aber ich wußte nichts von ihm. Ich hatte ihn ganz vergessen. Ich hatte alles vergessen. — Erst in Florenz: Als ich zum erstenmal in meinem Leben sah, hörte, fühlte, erkannte und zugleich danken lernte für alles das, da dachte ich wieder an ihn. Überall waren Spuren von ihm. In allen Bildern fand ich Reste von seinem Lächeln, die Glocken lebten noch von seiner Stimme, und an den Statuen erkannte ich Abdrücke seiner Hände.'

,Und da fanden Sie ihn?'

Klara schaute den Doktor mit großen, glücklichen Augen an: ,Ich fühlte, daß er war, irgendwann einmal war . . . warum hätte ich mehr empfinden sollen? Das war ja schon Überfluß.'

Der Doktor stand auf und ging ans Fenster. Man sah ein Stück Feld und die kleine, alte Schwabinger Kirche, darüber Himmel, nicht mehr ganz ohne Abend. Plötzlich fragte Doktor Laßmann, ohne sich umzuwenden: ,Und jetzt?' Als keine Antwort kam, kehrte er leise zurück.

,Jetzt —,' zögerte Klara, als er gerade vor ihr stand, und hob die Augen voll zu ihm auf, ,jetzt denke ich manchmal: Er wird sein.'

Der Doktor nahm ihre Hand und behielt sie einen Augenblick. Er schaute so ins Unbestimmte.

,Woran denken Sie, Georg?'

,Ich denke, daß das wieder wie an jenem Abend ist: Sie warten wieder auf den Wunderbaren, auf Gott, und wissen, daß er kommen wird — Und ich komme zufällig dazu —.'

Frau Klara erhob sich leicht und heiter. Sie sah sehr jung aus. ,Nun, diesmal wollen wirs aber auch abwarten.' Sie sagte das so froh und einfach, daß der Doktor lächeln mußte. So führte sie ihn in das andere Zimmer, zu ihrem Kind. —

In dieser Geschichte ist nichts, was Kinder nicht wissen dürfen. Indessen, die Kinder haben sie nicht erfahren. Ich habe sie nur dem Dunkel erzählt, sonst niemandem. Und die Kinder haben Angst vor dem Dunkel, laufen ihm davon, und müssen sie einmal drinnen bleiben, so pressen sie die Augen zusammen und halten sich die Ohren zu. Aber auch für sie wird einmal die Zeit kommen, da sie das Dunkel liebhaben. Sie werden von ihm meine Geschichte empfangen, und dann werden sie sie auch besser verstehen.

NOTES

NOTES

DAS MÄRCHEN VON DEN HÄNDEN GOTTES

1. **Frau Nachbarin:** old-fashioned small-town style.
2. **an ihrer Linken:** in Germany the gentleman always walks on the lady's left.
3. **bis in die gerechte Nacht:** *straight into the righteous night.*
4. **eine ziemliche Pause:** *a considerable pause.*
5. **als da sind:** *such as.*
6. **"Und grüssen Sie mir die Kinderchen":** the dative of interest, **mir**, must not be translated.
7. **hatte der liebe Gott nicht notwendig:** *God did not need;* **notwendig haben** unusual instead of **nötig haben.**
8. **sozusagen im Schlafe:** *so to speak while being asleep,* i.e. without any attention or effort.
9. **es . . . rauschte von Flügeln:** *there was a rustle of wings.*
10. **ihm heimzuhelfen:** *to help it find its way home.*
11. **seine eigenen Züge:** cf. *Genesis* I, 27: *God formed man in his own likeness,* **Gott schuf den Menschen in seinem Ebenbilde.**
12. **der heilige Nikolaus:** St Nicholas was held in special esteem in Russia.
13. **welche zu machen:** *to make some.*
14. **du wolltest ja:** *well, you wanted;* **ja** often serves for emphasis only.
15. **einander überholend:** *drowning out one another.*
16. **Wir können beide nichts dafür:** *neither of us could help it.*
17. **da sind sie es . . . müde geworden:** *then they have become tired of it.*
18. **eine Minute . . . ein Jahrtausend, was ja bekanntlich dasselbe ist:** cf. *Psalm* 90,4: *thou to whom a thousand years are like the flight of yesterday.*
19. **solche:** i.e. **solche Menschen.**
20. **Gott hat alle Eigenschaften:** instead of **Gott hat alle Tugenden** (*virtues*).
21. **Wo denken Sie hin?:** *what an idea.*
22. **Wissen Sie das . . . bestimmt?:** *are you sure about this?*

Notes

23. **Da werde ich zu erzählen haben:** the direct object **etwas** is understood.

24. **desselben:** it is old-fashioned to use **der (die, das) selbe** instead of the personal, demonstrative, or possessive pronoun.

25. **nämlich:** often used to introduce the reason of a preceding statement.

26. **weil ich mit dabei bin:** *because I include myself.*

27. **ein Stückchen tiefer unten:** *a little farther down (below).*

28. **kommt . . . mit:** instead of **kommt . . . vor,** *happens.*

DER FREMDE MANN

1. **Iwan, dem Grausen:** *Ivan the Terrible* (1533-1584), usually called **Iwan der Schreckliche; graus** is poetical.

2. **darin:** poetical instead of **worin.**

3. **muß man sich keinen Zwang auferlegen:** *one can be informal.*

4. **"Richtig":** phraseological *there now, I just remember.*

5. **um vieles:** *much.*

6. **genug süß:** instead of **süß genug.**

7. **"Auf alles drei: Ja"?:** *"Yes to all three questions?"*

8. **schattig wurden:** instead of **im Dunkel waren.**

9. **Teeglas:** in Germany and Russia, at that time, tea was served in glasses.

10. **Seine Augen vertieften sich ins Dunkel:** *his eyes pierced the darkness.*

11. **Laubengängen . . . runder Dämmerung:** the author is thinking of the picturesque arbored walks and arcades in Italy and Southern Austria.

12. **störte ich ihn:** *I interrupted him.*

13. **Du gehst hinunter . . .:** the present tense here is a strong form of a command.

14. **ja:** translate *for.*

15. **Augenblick:** cf. preceding story, note 18.

16. **die vor seinem offenen Blute lag:** *with which He covered His open wound.*

17. **ohne Rang, ohne Amt, ohne . . . Würde:** in Germany and even more so in Austria, the author's fatherland, under the monarchy as well as during the republic, it was important to have titles showing one's family background and education.

WARUM DER LIEBE GOTT WILL, DAß ES ARME
LEUTE GIBT

1. **Herr Lehrer:** old-fashioned; cf. note 1, page 134.
2. **rückte beständig an seiner Brille:** *kept shifting his spectacles.*
3. **die . . . vergessen dürften:** the past subjunctive of the verb **dürfen** often expresses *to be likely* instead of its usual meaning *to be allowed;* translate *who hardly will forget.*
4. **es is nicht anzunehmen:** *one cannot assume.*
5. **nicht ohne Gegenliebe zu finden:** the word **Gegenliebe,** *responsive love,* is used here in a jocular way; translate *recognition.*
6. **daß Sie sich der sozialen Frage genähert haben:** an allusion to the teacher's activity in charity organizations, mentioned pp. 40 and 114.
7. **im folgenden:** translate *right now.*
8. **Ihrem Interesse nicht ganz ferne steht:** translate *is not entirely out of your line.*
9. **ist das an maßgebender Stelle bekannt geworden?:** the scornful treatment of the teacher is due to the author's grudge against teachers in general, resulting from unhappy school experiences during his boyhood; cf. introduction p. 13.
10. **im ersten Stockwerk (es war ein reicher Kaufmann):** the first floor in a German house corresponds to what is called in U.S.A. the second floor. It commands the highest rents; the higher up an apartment, the lower the rent.
11. **die äußeren Umrisse:** is a pleonasm and must not be translated as such; omit *äußeren.*
12. **im zweiten Stock:** *on the third floor;* cf. footnote 10.
13. **drei Treppen:** that is: **im dritten Stockwerk.**
14. **Furchen . . . fruchtbar:** this is a pun, as **Furche** means *wrinkle* as well as *furrow* (in the fields); their wrinkles were so grey that God took them for furrows (in the earth).
15. **schlechter Laune:** adverbial genitive.
16. **wie er das so sah:** *while He was watching.*
17. **Kommission von Stadtvätern:** *committee of members of the city-council;* **Stadtvater** is an old term for *alderman.*

18. **an denen** — the sentence is not finished; supply **die Strafe vollziehen,** *inflict punishment.*
19. **die längste Zeit:** i.e. **seit langem.**
20. **Ich habe . . . manches Lobende zu hören bekommen:** i.e. **ich bin oft gelobt worden.**
21. **soweit:** *as far as.*

WIE DER VERRAT NACH RUßLAND KAM

1. **lang:** i.e. **seit langem.**
2. **das eine und das andere:** *something every now and then.*
3. **Brot . . . wovon das Volk lebt:** an allusion to Tolstoi's story, *What men live by;* bread here symbolizes love and godliness.
4. **man nennt beide Väterchen:** the author is mistaken here. The word **Väterchen** (Russian *batyushka*) is an expression of endearment and as such is applied to the Tsar as to all other men, but never used in addressing or mentioning God.
5. **Ehrfurcht:** here and in the following lines, the author refers to Goethe's novel, *Wilhelm Meisters Wanderjahre,* where the various forms of greeting are interpreted as expressions of various kinds of awe.
6. **Bylina, ein Gewesenes:** *byliny* is an early Russian poem of ballad character; it usually deals with mythological or historical heroes. Rilke calls it **ein Gewesenes** as the word *byliny* is derived from the past participle of *byt,* Russian equivalent of *to be,* i.e. *byl.*
7. **zu deutsch:** instead of **auf deutsch.**
8. **Der schreckliche Zar Iwan:** cf. page 135, footnote 1.
9. **Moskau . . . die weiße Stadt:** on account of its many white churches Moscow was often called *City of the white stones;* cf. Rilke's portrait on the frontispiece.
10. **Wassiljewitsch:** son of Vassili.
11. **Kirche für Wassilij, den Nackten:** Cathedral of the blessed Vassili, built by Ivan in 1554, on the Red Square in Moscow. No legend whatsoever justifies the epithet *naked,* used here for St. Basil. The author evidently follows the example of the *bylinies* (cf. note 6), where *naked* is equivalent to *extremely poor.* Ac-

cording to legend, St. Basil (331-379) was so poor that he had but one garment.

12. **Kaftan:** long under-tunic, worn in Eastern European countries.

13. **Kreml:** *kremlin,* citadel of Moscow, containing the imperial palace, many churches, and other important buildings.

14. **Vierteilen:** instead of **Vierteln.**

15. **mit dem nächsten Morgen:** instead of **am nächsten Morgen.**

16. **schon:** used for emphasis only; do not translate.

WIE DER ALTE TIMOFEI SINGEND STARB

1. **links:** cf. page 134, note 2.

2. **täglichen Fenster:** the adjective **täglich** is used exclusively with nouns designating something one does or receives, e.g. **tägliches Brot** or **täglicher Spaziergang.** To speak about a *daily window* is poetic license.

3. **bat er:** i.e. **er fragte in bittendem Tone.**

4. **in einem Buche bestattet:** the author regrets, not that those stories are now available in print, but that they are *only* in books, and no longer circulate orally.

5. **400 bis 500 Jahre:** the author here is inexact, as the story could hardly have originated before Ivan's death, 1584.

6. **darin:** instead of **in dem.**

7. **Bylinen:** cf. page 137, note 6.

8. **Skaski,** plural of Russian *skaz,* another type of early Russian literature; *skaz* is an old Russian folktale, often of national character. The content is fiction. The preceding story about Ivan is a *skaz,* not a *bylina,* as the author thought.

9. **Jegor Timofejewitsch:** Timofei's son Jegor.

10. **Kiew: . . . die heilige Stadt:** Kiev was one of the sacred places of Russia under the tsars. The city is called *holy* on account of its early Christianization (988).

11. **auf zehn Tagereisen im Umkreis:** *in a radius of a ten days' journey.*

12. **solchen:** not to be translated.

13. **der beständig auf dem Ofen sass:** in the South-Russian (Ukrainian) villages there are huge brick and clay ovens whose tops are used as sleeping places.

14. **umhorchten:** they were sneaking *around* the hut in order to *eavesdrop.*

15. **es war ihm . . . leid:** instead of **es tat ihm leid.**

16. **Jegoruschka:** *uschka* is a Russian ending of endearment, like German **-chen.**

17. **von ganz früh an:** *from earliest childhood on.*

18. **mein Täubchen:** *my little dove;* in Russia the form of addressing people by words like these does not express affection but is stereotyped and used even in quarrels.

19. **Gouvernement:** Russian *district:* the word is French.

20. **tatarische Geschichten:** *Ta(r)tarian stories;* the Tartars were an Asiatic tribe which invaded and conquered Russia in the thirteenth century.

21. **Bylinen:** cf. page 137, note 6.

22. **darin:** instead of **in denen.**

23. **Ikone:** icons, i.e. images of saints of the Eastern Church.

24. **er mochte ein Kosak sein oder ein Bauer:** the Cossacks were military farmers who settled in Russia before the sixteenth century. There was a great difference between them and the peasants among whom they lived. This accounts for the contrasting wording *whether he was a Cossack or a peasant.*

25. **des russischen Jahres:** the Eastern Church did not accept the Gregorian calendar but continued to use the Julian calendar. Therefore the Russian year begins and ends two weeks later than that of the Western world, i.e. on January 14th.

26. **Ustjénka:** Russian girls name.

27. **Pilgerzüge:** cf. note 10. Kiev as the cradle of the Eastern Church was a place of pilgrimage.

28. **Ossip:** Russian man's name.

29. **Iwanitsch:** *son of Ivan.*

30. **Herzchen:** *dear heart;* cf. note 18.

31. **Djuk Stepanowitsch:** Ukrainian hero.

32. **der auf dem Ofen lag:** cf. note 13.

33. **Ossip Nikophorowitsch:** *Ossip, son of Nikophor.*

34. **bins:** i.e. **bin's**

35. **die Reihe ist an mir:** *it is my turn.*

36. **noch eines und noch eines:** another and again another (viz. song).

37. **heldenhafter Gesänge:** *songs about heroes,* i.e. epics.

DAS LIED VON DER GERECHTIGKEIT

1. **in derselben:** cf. page 135, note 24.
2. **eine solche:** supply **Geschichte.**
3. **Iberische Madonna in Moskau:** the so-called *Panhagia Portaitissa,* an icon of the Holy Virgin, which was placed in a chapel at the entrance to the Kremlin in Moscow. The author's remark that it has to leave the chapel in order to visit the sick is due to its history. The original of the icon is in the Monastery of Ivirs on Mount Athos (Greece). The monastery, today owned by Greek monks, was founded in 1030 by the Iberian (i.e. from Georgia in the Caucasus) Bishop Waraswatse. According to legend, the icon was made by the Apostle St. Luke. Therefore, Tsar Alexis when he was ill, in 1648, ordered it to be brought to Moscow. However, the monks had a copy made which, with great ceremonies, was sent to the imperial palace. After the Tsar had recovered, the icon was placed in a special shrine.
4. **Zeit . . . einschliesst:** the author being brought up in Roman Catholicism alludes to the temporary *retreat,* required by the Church, for the purpose of religious exercise.
5. **Wie denn erst:** *how much less.*
6. **Schweigsamkeit:** instead of **Schweigen** or **Pause.**
7. **Pans:** Polish (land)lords.
8. **Habgier der Juden . . . Kirchenschlüssel . . . auslieferten:** this remark about the greed of the Jews may lead to the erroneous notion that Rilke is expressing personal prejudice. However, it is an historical fact that the Polish oppressors used the Jews as a tool for their exploitation of the Ukraine, for instance by giving them the charge of the church-keys. The taxes for opening a church were collected by the Jews but handed over to the Poles.
9. **Dnjepr:** great river on which Kiev, the Ukrainian capital, is located.
10. **Kiew, das heilige:** cf. page 138, note 10.
11. **in Bränden:** the city of Kiev burned down several times, just as Moscow did.
12. **Kurgane:** burial mounds, supposedly prehistorical, still numerous in Southern Russia; cf. picture.

Notes

13. **Ikone:** cf. page 139, note 23.
14. **welche:** cf. page 134, note 13.
15. **den besonders Verehrten:** cf. page 134, note 12.
16. **über seinem Nähen . . . waltet die gleiche Frömmigkeit:** cannot be translated literally; translate *his sewing and hammering are imbued with the same piety.*
17. **verstarben:** instead of **starben.**
18. **strenge:** instead of **rein,** *pure.*
19. **Kosaken:** cf. page 139, note 24.
20. **Brett:** the Russian icons are either carved in relief, or painted on flat metal or wood.
21. **In die Ssetsch, zu den Zaporogern:** the Ukrainian Cossacks (cf. note 24, "Wie der alte Timofei singend starb.") had settled on the lower Dnjepr, where they founded a permanent camp, *Sich* (not Ssetsch, as the author spells it incorrectly), below the rapids; hence they were called *Trans-Rapids-Cossacks*, **Zaporoh-Kosaken.** The *Sich* was a purely military settlement where neither women nor children were allowed. The *Zaporoh-Cossacks* were free-booters and derived their livelihood from plundering Turks and Tatars.
22. **Wogende Heide:** the author likes the comparison between the heath and the ocean.
23. **Es verdrängte den ganzen Abend:** it was an early hour of the evening, but the shadow of the tall new-comer darkened the room so much that it suddenly seemed like night.
24. **Der Ostap . . . einer von den blinden Kobzars:** the use of the article with a proper name (Ostap) is an Austrian peculiarity. Ostap Mikitin Veresai, born 1803, was one of the last Ukrainian minstrels. They were called *Kobzars* because they played the *Kobza*, a stringed instrument similar to the mandoline. Like most of the *Kobzars*, Ostap was blind; cf. picture. The songs of this wandering rhapsodist were never written down by himself but collected by his admirers, toward the end of the 19th century. Their content was of spiritual-moralizing character, but they dealt with the gallantry of the *Cossacks* and the injustice of the Polish oppressors as well.
25. **Bandura:** another name of the *kobza*, described in the preceding note.
26. **Hetmans:** the *Sich* was ruled by a *Hetman*, elected by the *Cossacks.*

27. **Kirdjaga, Kukubenko, Bulba:** names of Ukrainian chieftains; about the latter N. Gogol wrote his famous novel, *Taras Bulba.*

28. **Znamenskaja:** a particular image of the Holy Virgin, found in many Russian and Ukrainian churches. Rilke is abbreviating the name *Znamenskaja Bogorodica,* meaning *Apparition of the Mother of God.*

29. **freute sich dieses . . . Besuches:** poetical use of the genitive object with the verb **sich freuen.**

30. **Aber nicht von Helden ging . . das Lied:** translate *not about heroes was the song.*

31. **Bulbas:** cf. note 27.

32. **Ostranitza . . . Naliwaiko:** Ukrainian heroes.

33. **ging:** cf. note 30.

34. **Es ist keine Gerechtigkeit mehr in der Welt:** here begins a quotation from Ostap M. Veresai's "Song of Truth." The paragraphs indicate the stanzas of the poem. Note meter and rhymes!*

35. **sahns:** instead of **sahn's.**

36. **Pans:** cf. note 7.

37. **Mütterchen mein:** poetic instead of **mein Mütterchen.**

38. **bat Aljoscha:** translate *Aljoscha asked in a beseeching voice.*

39. **Krieg:** an exaggeration for what was happening, i.e. one of those many rebellions of the Ukrainians against their oppressors, in this case the Poles.

40. **Eine Tür ging:** i.e. *a door was heard to move.*

41. **Znamenskaja:** cf. note 28.

EINE SZENE AUS DEM GHETTO VON VENEDIG

1. **Bezirksobmann:** the many titles and functions characterize Mr. Baum as a "joiner" of clubs, etc., vain and eager for petty honors.

2. **darin:** cf. note 6, "Wie der alte Timofei singend starb."

3. **hebt ein wenig . . . ausfliegen können:** an allusion to a story, told in German primers. There a boy did not properly doff his hat as he was hiding sparrows underneath. The author compares Mr. Baum to that impolite boy.

---

* The Ukrainian original and its French translation which Rilke also used can be read in the editor's article, "Slavonic Traces in Rilke's ‚Geschichten vom lieben Gott'," *Germanic Review* XXII, 4, New York, 1947, p. 291 ff.

4. **die in Italien waren:** a snobbish remark, as traveling in Italy was considered fashionable by the moneyed German bourgeoisie.

5. **Piazzetta:** Italian for *little square:* part of the *Piazza San Marco,* near the Ducal Palace.

6. **Kanal:** Venice was built on a cluster of islands and has canals for its principal streets. Gondolas take the place of cabs.

7. **Palazzo Franchetti . . . Ca Doro:** a pre-Renaissance palace, built in Gothic style. It belonged originally to the Doro family, but was bought by the Franchettis, hence the two names. *Cà* is abbreviation from Italian *casa,* house.

8. **Vendramin . . . Richard Wagner:** Richard Wagner, the German composer, died in the *Vendramin* palace, in 1883.

9. **Ponte:** Italian for *bridge;* he is speaking of the *Ponte di Rialto* which for a long time was the only bridge across the Grand Canal. It consists of a single marble arch, flanked by shops, and is extremely beautiful.

10. **mit Orientierung:** *like one who is well informed.* **Tizian:** Venetian painter, 1477-1576. The Venetian Academy of Arts owns one of his masterpieces, "Assumption of the Virgin."

11. **Und begann:** supply **ich.**

12. **Fondaco de' Turchi:** store-house of the Turks, today the museum of the city of Venice. From the thirteenth century on, the senate of Venice, anxious to develop the glory and riches of the city, facilitated the sojourn of foreigners by establishing *fondachi,* a sort of caravansaries, where they lodged gratuitously. Thus, in the seventeenth century, the Turks got this superb palace.

13. **Gondolier(e):** Italian for rower of *gondola.*

14. **handelt . . . mit ihm schimpft:** because the gondoliers usually try to take advantage of the customers.

15. **Dogen Alvise Moncenigo IV.:** the title of the chief magistrate of the Republic of Venice and Genoa was *Doge,* duke.

16. **Carpaccio:** Renaissance painter, born 1355. The Academy of Venice contains many of his masterpieces.

17. **solche:** old-fashioned, instead of **diese** or **sie.**

18. **Giorgione:** Giorgio Barbarelli, master of Venetian school of painting, 1478-1511.

19. **Gian Battista Tiepolo:** 1692-1767; by mentioning him, the author dates this story.

20. **Masken:** masks were worn during carnival festivities in the week preceding Lent. However, during the Renaissance, the custom of masquerading was extended throughout the year, in Venice.

21. **sonst:** not to be translated.

22. **Romanzen:** an exclusively literary term; the word **Romanze** does not imply (as *romance* often does in America) love or love affairs. The author evidently thinks of songs, as he speaks of the *tone* being *carried*.

23. **scheues:** instead of **lichtscheues**, *shunning daylight*.

24. **Glasfluß:** there has been a famous glass-industry in Venice, for many centuries; the oldest reference is dated 1299.

25. **Mosaiken von San Marco:** the Cathedral of St. Mark, the tutelary Saint of the city, is decorated with mosaics of world-wide fame; the art of mosaic was acquired by the Venetians in the tenth century.

26. **mit Maske:** cf. note 20.

27. **will . . . gesehen haben:** *claims to have seen.*

28. **Proveditore:** high Venetian official.

29. **'Sensa' am Himmelfahrstage:** *Sensa* is Venetian vernacular and evidently an abbreviation of the Italian *ascensione*, **Himmelfahrt**. It is the name of an ancient festival on Ascension Day. The *Doge* (cf. note 15) of Venice, accompanied by the entire nobility, sailed on a big bark, the *Buccocentoro,* to the *Lido,* at that time merely a sandbank in the lagoon, today one of the most glamorous bathing-resorts in Europe. There he celebrated his "marriage" to the sea by throwing a ring into the water and saying: "*Desponsamus te, mare nostrum, in signum veri perpetuique dominii*," we are marrying you, our sea, as a sign of true and perpetual domination. This rather heathen custom dates back to 998 when, on Ascension Day, the *Doge,* Orseo II., celebrated his great naval victory by this symbolical subjugation of the Adriatic. The rite, *sposalizio del mare,* marriage of the sea, was sanctioned by Pope Alexander III., in 1177. The *Sensa* took place for the last time, in 1728.

30. **Großen Rates,** the Great Council, i.e. the supreme authority of the Venetian republic. It consisted of all members of the nobility above twenty years of age. The Great Council was the real power while the *Doge* was only its representative symbol.

31. **Glaubensgenossen:** the author's presentation of the standing of the Venetian Jews is authentic; the Jews were needed for the Venetian trade; on the other hand, their right to reside in Venice remained precarious until 1848, when the equality of Jews and Christians was established.

32. **fühlten:** instead of **betrachteten,** *considered.*

33. **Häuser aufwärts . . .:** the fact told here about the Venetian ghetto was true for all other ghettos, e.g. in Germany. The Jews, not allowed to extend their area of settlement, were obliged to build one house on top of another. The result reminds one of the architecture of some Indian pueblos in this country. Funk & Wagnalls' *Jewish Encyclopedia,* page 408, shows a picture of such a ghetto house.

34. **psalmend:** there is no such German verb; the old Jew spoke rhythmically and probably moved his body as if singing psalms.

35. **hindurch:** not to be translated.

36. **so groß:** i.e. **mit so großen Augen.**

37. **Palazzo Foscari,** edifice of the 15th century.

38. **weil irgendeine Zeit sich erfüllt hat:** quite unusual wording; the author probably was influenced by Luther's translation of *Luke* IX,51, "Da die Zeit erfüllet war," and a similar passage in *Mark,* I,15.

39. **die goldlinigen Konturen:** not to be translated literally, as the phrase offers a pleonasm, the contours being lines themselves. Translate: *the contours shimmering like gold.*

40. **dürfte:** cf. page 136, note 3.

VON EINEM, DER DIE STEINE BELAUSCHT

1. **Was wir Frühling fühlen:** instead of **was wir als Frühling erleben,** *experience as.*

2. **mit welcher:** instead of **durch welche.**

3. **Die Zeit glänzte wie Gold:** Rilke is speaking of the period of the Italian Renaissance of which he was a great admirer; cf. the preceding story.

4. **Raffael:** Raffaelo Santi, 1483-1520, one of the greatest Italian painters during the Renaissance; he lived and worked in Rome.

5. **Fra Angelico:** Fra Giovanni da Fiesole, 1387-1455, Dominican monk, great painter.

6. **Michelangelo:** Michelangelo Buonarotti, 1475-1564, Italian sculptor, architect, painter, and poet.

7. **ihm:** possessive dative of personal pronoun, often used in sentences whose subject or object refers to a part of the body.

8. **darin:** cf. page 135, note 2.

9. **es wurde ihm ängstlich und enge:** translate: *he felt anxious and confined.*

10. **Josef von Arimathäa:** rich Jew who interred Christ's body on his own burial-grounds; cf. *Matt.*,XXVII,57.

11. **schlafendes Geschlecht:** Rilke alludes to Michelangelo's plan of a gigantic catafalque, ordered by Pope Julius II. The monument was to be decorated with symbolical figures, especially of the great Patriarchs.

12. **mit breiten Hieben:** the descriptive adjective **breit** with this noun is poetical.

13. **Pietà:** *piety, mercy;* in art the technical term for a representation of St. Mary mourning over Christ's corpse, with or without other mourners. It is not clear which of Michelangelo's sculptures Rilke had in mind since neither of the two, called *Pietà*, fit his description. The one pictured in this book* was never finished by the artist. Rilke's remark **er löste nicht ganz die . . . Schleier von ihren Gesichtern** evidently alludes to this. Cf. also the following note.

14. **Zu dieser Zeit entwarf er . . .:** the author makes a mistake here. Michelangelo received the pope's order for the catafalque in 1505 and planned the details for that monument in the years following. After he had chosen the mighty blocks for his patriarchal figures, Julius, due to the scheming of Michelangelo's rival, Bramante, cancelled his order, so that the monument never was made. Pope Julius della Rovere died in 1535, while Michelangelo's *Pietà** was planned much later. It was the artist's last work wrought in marble. Another error of Rilke is that he interprets the aged figure, supporting Christ, as Joseph of Arimathäa. According to the authentic interpretation by Vasari, it represents Nicodemus, with whose help Joseph of Arimathäa embalmed and buried Christ; cf. *John* XIX,39 f.

---

* The Metropolitan Museum of Art catalogues its cast of the *Pietà* as "Deposition from the Cross."

15. **Grabmal für Julius della Rovere:** cf. note 11.
16. **den eisernen Papst:** Julius is called *iron*, as he was a hard, warlike man.
17. **Marmorbrüchen:** Michelangelo used to choose the marble blocks for his works from quarries which he bought for this purpose. In his letters he complains about the difficulties he has in acquiring blocks large enough for the monuments he is to create.
18. **Oliven:** i.e. **Olivenbäume.**
19. **ragte . . . über:** unusual separation of an inseparable verb from its prefix, **überragen.**
20. **darin:** instead of **in der.**
21. **Italien:** the author uses the name of the country merely geographically, since, at the time of Michelangelo, there was no state called Italy.
22. **uns:** i.e. **einander.**

WIE DER FINGERHUT DAZU KAM,
DER LIEBE GOTT ZU SEIN

1. **wenn es gut geht:** translate *if things are going well.*
2. **Wolkerich:** by adding the syllable **rich** to the noun **Wolke,** Rilke created a jocular word in analogy to masculine forms for names of animals, such as **Gänserich,** *gander,* or **Enterich,** *drake.*
3. **kleines deutsches Fürstentum:** up to 1918, Germany was a federation of states, some of which were small principalities. The governments of these principalities were reactionary, the inhabitants backward. Therefore the author's scornful remark that the principality hardly was a part of Europe.
4. **wird . . . sich verraten:** translate in the passive.
5. **Ich . . . schenke ihnen;** scornful remark; translate *they may keep it (their dragons).*
6. **Ach was:** impolite phrase, similar to *so what* or *never mind.*
7. **den pythagoreischen Lehrsatz,** *the Pythagorean proposition,* i.e. the 47th proposition of the first book of Euclid.
8. **Nun, es ist einmal nicht anders:** translate *well, that is the way it is.*

9. **Was kann uns dabei verloren gehen?**: translate *what have we to lose?*

10. **kommen**: instead of **geboren werden**.

11. **in den seichten Händen**: the adjective **seicht**, as a rule, is used in connection with water, or figuratively with the human mind. To use it descriptively of hands is uncommon.

12. **dem Hans**: cf. page 141, note 24.

13. **das Fingerhutliche**: word created by the author in analogy with nouns like **das Göttliche** or **das Menschliche** etc. Translate *its appearance of a thimble.*

EIN MÄRCHEN VOM TOD UND EINE FREMDE

NACHSCHRIFT DAZU

1. **derselben**: cf. page 135, note 24.

2. **die Gebärde der offenen Arme**: an allusion to the ancient pre-Christian Greek and Roman rite of stretching out one's arms while praying.

3. **Bei Gott ist eine andere Tapferkeit**: translate *God considers bravery something else than we do.*

4. **breiten Gebetes**: cf. note 2.

5. **klagenden Angeln**: translate *plaintively squeaking hinges.*

6. **unter den vielen**: supply **Dingen**.

7. **aus der Zeit**: very strange wording; translate *away from people.*

8. **dasselbe**: cf. note 24, page 135.

9. **ihres Sinnes**: i.e. *congenial to her.*

10. **Vergangenheiten**: unusual plural; translate *memories of things long past.*

11. **schlecht zu schlafen**: translate *to be wakeful.*

12. **darin**: cf. note 2, page 135.

13. **vergaß ich des** . . . the genitive object with the verb **vergessen** is poetical.

14. **unter demselben**: cf. note 2, page 135.

15. **also tat das Weib auch**: the use of **also** instead of **so** recalls the language of the Luther Bible.

16. **"Und wer das geschrieben hat?"**: supply *I should like to know.* The indirect question (instead of the expected direct) makes such a supplement necessary.

EIN VEREIN AUS EINEM DRINGENDEN
BEDÜRFNIS HERAUS

1. **Ich muß nicht sagen:** translate *no need to mention.*
2. **Ehrenmitglied, Gründer** . . ., cf. note 1, p. 142. **Fahnen-vater:** literally *flag-father;* the author ridicules the old Austrian custom of "christening" the flags of clubs, regiments, etc. A woman was the god-mother (flag-mother) and recited some appropriate verse during the ceremony of the "baptism."
3. **das Austreten:** a pun which cannot be translated; *austreten, discontinue membership,* literary *to step out.*
4. **wörtlicher:** cannot be translated, as *more literal* would make no sense here; the author evidently means *quibbling.*
5. **mit denen:** instead of **die.**
6. **wirkliche Künstler:** in 1898, Rilke had spent several weeks in Worpswede, an artists' settlement. He was so favorably impressed with the spirit of the place that he later went to live there. Yet, he may have gathered material for this critical description of painters, in Worpswede.
7. **mitten:** instead of **in der Mitte.**
8. **wie ein Maler:** jocular analogy to the phrase **wie ein Mann.** i.e. *unanimously.*
9. **begriff:** instead of **bezeichnete.**
10. **tauschten sie** . . . **ihre gegenseitigen Ansichten aus:** strange word order as not the opinions, **Ansichten,** but their exchange, **Austausch,** is mutual, **gegenseitig.**
11. **schlugen** . . . **herum:** instead of **warfen** . . . **herum.**
12. **Ausgestaltung:** translate *modification.*
13. **desselbe:** cf. note 24, page 135.
14. **Etwas Unbestimmtes:** instead of **ein unbestimmtes Gefühl.**
15. **mit vollstem Rechte:** translate *for good reasons.*
16. **der heilige Lukas:** St. Luke, according to legend, was a painter and therefore is considered the patron of artists.
17. **"Wo denken Sie hin"?** translate *what an idea.*
18. **näher:** translate **kürzer.**

DER BETTLER UND DAS STOLZE FRÄULEIN

1. **Lorenzo de' Medici:** *Lorenzo il Magnifico* (the Magnificent), 1469-92. He was not really a ruler, as Rilke calls him,

but wielded autocratic power. Under him and his predecessor, Cosimo (1434-64), Florence became the intellectual center of the Italian Renaissance. Lorenzo was a great statesman, philosopher, scholar, connoisseur of art, and poet.

2. **'Trionfo di Bacco ed Arianna'**, Italian *Triumph of Bacchus and Ariadne.*

3. **Palazzo Strozzi:** palace of the Strozzi family.

4. **Santa Croce:** Italian *Holy Cross.*

5. **Loggia:** Italian open-sided covered gallery.

6. **Palla degli Albizzi,** name of an aristocrat.

7. **Gaetano Strozzi:** ditto.

8. **Altichieri:** name of an aristocratic Florentine family.

9. **Ricardi:** ditto.

10. **Sma Annunziata:** abbrev. Italian *Santissima Annunziata,* the Holy Virgin.

11. **Soldo:** Italian *half-penny.*

12. **Porta San Niccolo,** gate of St. Nicholas, one of the old city gates of Florence.

13. **Messer:** Ital., during the Renaissance, title of any one higher in social rank than the person addressing him; today titles of lawyers and notaries.

14. **Subiaco:** Italian city, famous for two monasteries of the Benedictine order.

15. **Litaneien:** series of petitions used in the service of Roman Catholic churches.

16. **Fürbitter:** intercessor, a term almost equivalent to *Saint,* since in the great litany of the Catholic Church, after each name of a Saint, the believer prays: *"Ora pro nobis,"* i.e. pray for us, or in other words: intercede.—Rilke's mentioning the fact that Palla degli Albizzi lived near Subiaco seems to allude to his "call" to live a life of poverty among the beggars of the Benedictine monastery.

EINE GESCHICHTE, DEM DUNKEL ERZÄHLT

1. **Gang des Waggons:** *corridor of the railroad car.* European railway-trains are built in such a way that the compartments are separated from one another like a series of small rooms, connected by a corridor running outside, from one end of the train to the other. Doctor Laßmann had to step over the legs

Notes

of the sleeping passengers and through a little door in order to enter the corridor.

2. **kaiserlicher Rat:** *Imperial Councillor,* a title that was given to elderly officials in old Austria. This decoration was often awarded for financial aid to the monarch or the state.

3. **Schwabing:** suburb of Munich, inhabited predominantly by artists.

4. **"Konzert" des Giorgione:** famous painting, "The Concert", conjecturally done by Giorgio Barbarelli († 1478), called Giorgione.

5. **Pitti:** *Palazzo Pitti,* the largest and most beautiful of the Florentine palaces, on the left bank of the Arno river.

VOCABULARY

VOCABULARY

The English equivalents given in this vocabulary are restricted to the various meanings of the German words in the *Geschichten vom lieben Gott*. Since the text is intended for intermediate students, the vocabulary aims to be complete.

As *adjectives* and *adverbs* are identical in form, the adverbial endings are given only where it seemed necessary for the understanding of the text.

Genitives of nouns, *plurals* of nouns, and vowel changes of *strong verbs* are given in the usual manner. Irregularities of the present tense are given in parenthesis.

Separable prefixes are set off by a hyphen.

An asterisk indicates that the principal parts of a *compound verb* are given with the non-compound.

Abbreviations:

adj.	adjective	*gen.*	genitive
adv.	adverb	*i.e.*	that is
a. p.	a person	*impers.*	inpersonal
Austr.	Austrian	*intr.*	intransitive
coll.	colloquial	*m.*	masculine
comp.	comparative	*o.s.*	oneself
conj.	conjunction	*pers.*	personal
dat.	dative	*poet.*	poetical
e.o.	each other	*p.p.*	past participle
f.	feminine	*pr.p.*	present participle
fig.	figurative	*subj.*	subjunctive
		tr.	transitive

A

ab-brechen* break off (up)
ab-bringen* divert
Abdruck, der, -(e)s, -e imprint, mark

Abend, der, -s, -e evening, night
Abendgebet, das, -es, -e evening-prayer
Abendhimmel, der, -s evening-sky
Abenteuer, das, -s, - adventure

154

Vocabulary

Abendwolke, die, —, -n evening-cloud
abergläubisch superstitious
Abfall, der, -(e)s, ̈e scraps, leavings
Abgabe, die, —, -n tax
Abgrund, der, -es, ̈e abyss, depth
ab-halten* hold back, prevent
ab-hauen* smite off
ab-holen go for
Abkürzung, die, —, -en abbreviation
ab-legen take off
ab-lesen* read (from)
ab-machen arrange
ab-nehmen* take off
ab-nützen wear out
ab-quälen force
ab-reisen leave
Abscheu, der, -s disgust
Abschied, der, -es, -e farewell, leave; -nehmen* bid farewell
ab-schießen,* fire
ab-schließen* come to an end, conclude, finish
ab-schneiden, i, i, cut off, cut short
ab-sehen* conceive, foretell
abseits aloof, apart
Absender, der, -s, ,- sender
Absicht, die, —, -en intention
ab-spielen, sich, take place
ab-stäuben dust
ab-stoßen* repulse
ab-stumpfen become less sensitive
ab-warten wait for
ab-wehren parry
ab-wenden,* (sich), turn away

Abwesenheit, die, —, -en absence
ab-zählen count off
Achsel, die, —, -n shoulder
achtbar respectable
achten pay attention
acht-geben* watch
Achtung, die,- attention, esteem
ach was see note
ächzen groan
Acker, der -s, ̈ acre, field
Adel, der, -s aristocracy, nobility
Adler, der, ,-s, - eagle
Ad(e)lige, der, -n, -n aristocrat
Adreßbuch, das, -es, ̈er directory
ahnen guess, suspect
ähnlich alike, similar
Ähnlichkeit, die, —, -en resemblance
Ahnung, die, , —, -en inkling; böse - misgiving
ahnungslos unsuspecting
allein alone, however
allerdings although, as has to be admitted, indeed, to be sure
allerheiligst most blessed
all(es) all, everything; - übrige everything else; vor -em above all
allgemein general(ly)
allmählich gradual(ly)
allwissend omniscient
allzu (much) too
Almosen, das, ,-s, - alm
als as, as if, as though, but, when; - ob as if
also accordingly, that is, therefore, thus, well

155

alt ancient, old
Alter, das, -s, age, old age
altern age, grow old
altmodisch oldfashioned
Amt, das, - es, ̈er office
an at, to; - **sich** in itself
an-beißen, i, i bite
an-bieten, o, o offer
an-blicken look at
Andacht, die, —, -en service, (religious) devotion
ander different, other; **-s** differently; **-swo** elsewhere; **das -e** the rest
ändern alter, change
an-deuten hint, indicate
aneinander toward (against) one another
an-fahren* snub
Anfang, der, -(e)s, ̈e beginning
an-fangen* begin, do
anfangs at first
an-fügen add
an-gehen* be possible, concern
Angel, die, —, -n hinge
Angelegenheit, die, —, -en affair, matter
Angelrute, die, —, -n fishing-rod
angenehm agreable
Angesicht, das, -es, -er face, sight
angesichts in face of, in view of
Angst, die, —, ̈e fear
ängstigen frighten
ängstlich anxious, frightened
an-haben have on
an-halten* (try to) hold on to
an-hören listen to
an-knüpfen refer to, take up (once more)

an-kommen* arrive
an-langen arrive, get to
Anlaß, der, - es, ̈e cause, occasion, purpose
an-melden announce; **sich -** announce one's coming
Annahme, die, —, -n assumption
an-nehmen* accept, adopt, assume, put on, suppose, take on
Anruf, der, -es, -e appeal, invocation
an-rufen* address, speak to
an-rühren touch
an-schauen glance at, look at
an-schicken, sich, be going to, start
an-sehen* look at; *w. dat.* tell from one's looks
an-setzen begin
Ansicht, die, —, -en opinion
an-spannen strain
anständig decent, respectable
an-staunen wonder at
an-stecken kindle
an-steigen* mount
an-stoßen* nudge
an-strengen strain; **-d** intense, strenuous
Anstrengung, die, —, -en effort, trouble
Antwort, die, —, -en answer
antworten answer
an-wachsen* increase
an-wenden* apply, employ for, use
Anzahl, die, —, number, quantity
an-ziehen* put on
an-zünden kindle, light

Vocabulary

Arbeit, die, —, -en, job, (piece of) work

arbeiten work

arg bad(ly), bitterly

Ärger, der, -s anger, annoyance

ärgerlich angry, annoyed

ärgern annoy

arglos innocent, unsuspecting

arm poor

Arm, der, -(e)s, -e arm

Ärmel, der, -s, - sleeve

Armenverein, der, -(e)s -e charity organization

ärmlich in poverty, shabby, skimpy

armselig miserable, pathetic

Armut, die, —, poverty

Art, die, —, -en kind, manner, species, way

artig polite

Arzt, der, -es, ⁔e physician

Asche, die, —, ashes

Ast, der, es, ⁔e twig

Atelier, das, -s, -s studio

atemlos, breathless

Atlas, der, —, satin

auch also, anyway, too; *often redundantly used and not to be translated;* - noch in addition; ja - *see note*

auf up, upon; - einmal all of a sudden; - und nieder up and down

auf-blicken look up

auf-brechen* leave

auf-erlegen impose upon; *see* Zwang

auf-fahren* burst forth, make an onslaught

auf-fangen* catch

auf-fassen conceive

Auffassung, die, —, -en conception

auf-geben* give up, propound

auf-gehen* burst forth, open, rise, spring

auf-halten* stop

auf-heben* pick up, raise

auf-horchen listen (suddenly)

auf-hören cease, stop

auf-klären enlighten

Aufklärung, die, —, -en enlightenment, explanation

auf-lachen burst into laugh

auf-lösen discontinue, dissolve

auf-machen open

aufmerksam attentive; - machen call one's attention

Aufmerksamkeit, die, —, -en attention

auf-nehmen* accept, admit, perceive, take in

aufrichtig sincere

auf-schauen look up

auf-schichten pile

auf-setzen put on, set up; sich - sit upright

Aufstand, der, -(e)s, ⁔e revolt

auf-stehen* get up

auf-steigen* rise

auf-suchen go to find, resort to

auf-tauchen appear, emerge

auf-tippen wipe off (by touching slightly)

Auftrag, der, -(e)s, ⁔e commission; im -(e) in the name of

Auftritt, der, -(e)s, -e scene

auf-tun,* sich, open, unclasp

auf-wachsen* grow (up)

aufwärts up(wards), skywards

auf-wühlen dig, turn up

aufzeichnen draw, write down

Aufzeichnung, die —, -en note; *plur.* journal

Auge, das, -s, -n eye; **in die -n fallen** strike; **nicht aus den -n lassen** not to let out of one's sight

Augenblick, der, -(e)s, -e moment

Augenlid, das, -(e)s, -er eyelid

aus from, of, out of; **-. . . . her- aus** out of; **- sein** be finished

aus-bleiben* fail to come

Ausblick, der, -(e)s, -e view

aus-brechen* break out

aus-breiten spread

aus-denken,* **sich,** to have an idea

Ausdruck, der, -(e)s, ⁻e expression, term

aus-drücken express

auseinander apart from e.o.; **- halten** distinguish, keep apart

aus-fliegen* fly out; *see note*

Ausgabe, die, —, -n edition

Ausgang, der, -(e)s, ⁻e exit

ausgeschlossen impossible

Ausgestaltung, die, —, -en, *see note*

ausgezeichnet excellent

aus-holen raise one's hand (as if to strike)

aus-kommen* be content with, get along

aus-lachen laugh at

aus-leeren empty

aus-liefern deliver, hand over

aus-machen constitute, make

ausnehmend immensely

aus-räumen empty

Ausrede, die, —, -n, excuse, pretext

aus-reichen suffice

aus-ruhen repose, rest

Aussätzige, der, -n, -n leper

aus-schließen* exclude

aus-schmücken embellish

aus-schreiten* take long, vigorous strides

aus-schütten pour

aus-sehen* look

außen outside

außer aside from, beside(s), except

außerdem besides

Äußere, das, -n, exterior, outside world

äußerst extreme(ly), utmost, very

Aussicht, die, —, -en view

aus-sprechen* express; **sich -** be expressed, show

aus-spucken spit

aus-stehen* be in arrear, be due, lack

aus-steigen* disembark

aus-stellen exhibit

aus-strecken stretch out; **sich - nach** reach out for

aus-tauschen exchange

aus-treten* discontinue membership

aus-üben exercise

Ausweg, der, -(e)s, -e way out, solution

aus-weichen, i,i shun

aus-zeichnen distinguish

Autorität, die, —, -en authority

B

baden bathe

Bäcker, der, -s, - baker

Vocabulary

Bahnhof, der, -(e)s, ⸚e railroad station

bald soon; -. . .- , now . . . then

Balken, der, -s, - beam

bang(e) afraid, fearful, timid

bangen be troubled, worry

Bangigkeit, die, - anxiety

Bank, die, —, ⸚e bench

barfuß barefoot

Bart, der, -(e)s, ⸚e beard

bärtig bearded

Bau, der, -(e)s, -ten, construction, creation, structure

bauen build

Bauer, der, -s (and n) -n farmer, peasant

Bauernhof, der, -(e)s, ⸚e farm

Baum, der, -(e)s, ⸚e tree

Baurat, der, (e)s, ⸚e government surveyor of public constructions

beabsichtigen intend, mean

beachten pay attention to

Beamte, der, -n, -n official

beängstigen frighten

beantworten answer

beben tremble

Becher, der, -s, - cup, ash-tray

bedauern (say with) regret

Bedauern, das, -s pity, regret

bedecken cloud, cover

bedeuten mean, be interpreted; -d essential, important, much

bedienen, sich, w.gen. make use of

Bedingung, die, —, -en condition

bedrücken depress, oppress

Bedrückung, die, —, -en oppression

Bedürfnis, das, -ses, -se need, want

beeilen, sich, hasten, hurry

beenden finish

Beet, das, -(e)s, -e bed (of flowers)

Befehl, der, -(e)s, -e command

befehlen,a,o command, order

befinden,* sich, be

beflecken soil

Beförderung, die, —, -en promotion

befreien free, deliver

befremdlich bewildering

befreundet on friendly terms

befürchten fear

Begabung, die, —, -en talent

begeben,* sich, happen

Begebenheit, die, —, -en incident, occurrence

begegnen w.dat. happen, meet

begehen* commit, make

begeistert enthusiastic

Begeisterung, die, - enthusiasm

begleiten accompany, escort

Begleiter, der, -s, - companion m., escort m; die -in escort, companion f.

begraben* bury

begreifen, i,i comprehend grasp, mean, understand

begreiflich comprehensible; schwer - hard to understand; -ermaßen as one can understand

begrenzen limit, put an end to

Begriff, der, -(e)s, -e conception, idea

begrüßen greet, shake hands, welcome

begütigen appease, comfort, soothe

Behagen, das, -s comfort

behalten° hold, keep, preserve

beharren insist, persist

behaupten assert, insist, pretend, say, state

Behauptung, die, —, -en statement

Behausung, die, —, -en dwelling

beherrschen rule

bei at, by, near, with

beide both

beifällig agreeing, approving

beiläufig casual(ly)

Bein, das, -(e)s, -e leg

beinah(e) almost

beisammen together

Beisammensitzen, das, -s meeting, party, session

beiseite-treten° step aside

Beispiel, das, - (e)s, -e, example; **zum -** for instance

beispielsweise for example

bei-stimmen consent, yield

bei-tragen° add, contribute

bekannt (well) known; **-lich** as we know

Bekannte, der(die), -n, -n acquaintance

Bekanntschaft, die, —, -en acquaintance

bekennen° admit, confess

beklagen, sich, complain

bekleiden clothe

bekommen° get, receive

bekreuzen, sich, to cross o.s.

beladen° burden, load

belauschen hearken, listen, overhear

belehren inform, instruct; **eines Besseren -** correct, set right

beleidigen insult

beleuchten illuminate

bemerken notice, remark

Bemerkung, die, —, -en remark

bemühen, sich, endeavor, take pains, try

benachbart neighboring

benehmen,° sich, behave

benutzen use

beobachten watch

bequem comfortable

berauben *w.gen.* rob

bereit ready, willing

bereiten create, give, prepare

bereitwillig eager to help, obliging

Bereitwilligkeit, die, - eagerness to help

bereuen repent

Berg, der, -(e)s, -e hill, mountain

berichten report, tell

berücksichtigen consider, contemplate

Beruf, der, -(e)s, -e profession, trade

berufen auf,° sich, refer to

beruhen auf be caused by

beruhigen appease, calm; **sich -** become quiet, calm down

berühren touch; **sich -** come into contact

beschäftigen busy, occupy

Beschäftigung, die, —, -en business

Bescheid, der, -(e)s, -e, answer; *see* **wissen**

bescheiden modest

beschenken present

beschließen* decide

Beschluß, der, -ses, ⁔se resolution

beschränken, concentrate, limit, restrict, shorten; **sich -** confine o.s.

beschützen protect

besinnen, sich, **a,o** change one's mind, meditate, remember, think

Besitz, der, -(e)s, -ungen possession, property

besitzen* have, possess

besonder special; **(ganz) -s** especially

besonnen deliberate, sensible

besprechen* discuss

beständig constant, continuous, incessantly

bestätigen confirm, corroborate

bestatten bury, inter

bestehen* consist of, exist in; **- auf** insist upon

Bestehen, das, -s existence; *see* **zweijährig**

Bestellung, die, —, -en order

bestimmen determine, destine

bestimmt (for) certain, in question

Bestimmtes, etwas, something particular

Bestreben, das, -s desire, endeavor

Bestürzung, die, —, bewilderment

Besuch, der, -(e)s, -e company, visit, visitor; **zu - kommen** to call (on)

besuchen visit

beten pray

beteuern assert, say emphatically

betonen emphasize

Betonung, die, —, -en emphasis

betrachten contemplate, consider, examine, gaze at, observe, speak (or see) from a particular point of view; **-d** contemplative

Betreffende, der(die), -n, -n person in question

betreten* enter

Bett, das, -(e)s, -en bed

Bettende, das, -s, -n foot-end of bed

Bettler, der, -s, - beggar m.; **die -in** beggar(-woman)

beugen, sich, bend down

Beutel, der, -s, - purse

bevölkern people

Bevölkerung, die, —, -en population

bevor-stehen* be to come

bewaffnen arm

bewahre by no means

bewahren preserve

bewegen, sich, move

Bewegung, die, —, -en gesture, motion, movement; **sich in - setzen** set out, start

Beweis, der, -es, - proof

beweisen* prove, show

bewilligen allow

bewohnen live in, occupy

bewundernswert admirable

bewußt conscious, in question, particular

Bezahlung, die, —, -en payment; **nur gegen -** for cash only

bezeichnen call, characterize, designate, note
beziehen° move into
Beziehung, die, —, -en contact, relation(ship)
Bezirksobmann, der, -(e)s, ⸚er chairman of a district
Bezug, der, -(e)s, ⸚e relation (ship)
biegen, o, o bend
Bild, das, -(e)s, -er icon, image, painting, picture, portrait, symbol
bilden educate, form, found, give shape, mould, sculpture
Bildsäule, die, —, -n monument, statue
Bildung, die, - education, upbringing
Bindfaden, der, -s, ⸚ string
bis to, until, up to
bisher so far
bißchen a little
bisweilen at times
bitte please
bitten, a, e ask, beg
blaß pale
Blatt, das, -(e)s, ⸚er leaf; ⸚chen little leaf
blätterlos leafless, naked
blau blue
bläulich bluish
bleiben, ie, ie remain, stay; **dabei -** insist; **stehen -** stop
Bleistift, der, -(e)s, -e pencil
Blick, der, -(e)s, -e gaze, glance, look, eye
blicken gaze, glance, look
bloß only
blühen bloom, flourish

Blume, die, —, -n flower
Blut, das, -(e)s blood
Blüte, die, —, -n blossom
Boden, der, -s, ⸚ floor, ground, soil
Bogen, der, -s, ⸚ arc
bös(e) angry
botanisch botanical
Bote, der, -n, -n messenger
brauchen need, use
Bräutigam, -s, -e bridegroom, fiancé
brav well-behaved
brechen, (i) a, o break, burst, quarry
breit broad, broad-shouldered, wide
Breite, die, —, -n width
brennen, brannte, gebrannt burn
Brett, das, -(e)s, -er board
Bretterzaun, der, -(e)s, ⸚e wooden fence
Brief, der, -(e)s, -e letter
Brille, die, —, -n spectacles
bringen, brachte, gebracht, bring; **in Sünde -** cause to sin
Brokat, der, -(e)s, -e brocade
Brot, das, -(e)s, -e bread
Bruchstück, das, -(e)s, -e fragment
Brücke, die, -e, -n bridge
Bruder, der, -s, ⸚ brother
brüderlich brotherly
brummen growl, grumble
Brunnen, der, -s, - fountain, pump
Brust, die, —, ⸚e breast, chest; *plur.* bosom
Bub, der, -en, -en boy

Buch, das, -(e)s, ̈er book
Buchstabe, der, -n, -n letter
bücken, sich, bend, bow down,
stoop
bunt colorful, many-colored,
various
Bürgermeister, der, -s, - mayor
Bursche, der, -n, -n lad
Buße, die, —, -n penance

C

Christ, der, -en, -en Christian
Coupé, das, -s, -s *French* com-
partment

D

da as, since, there, when; -sein
exist
dabei at the same time, in doing (*or* saying) so, nevertheless; - sein zu be about to;
mit - sein be among, belong
to
Dach, das, -(e)s, ̈er roof
Dachstuhl, der, -(e)s, ̈e frame-
work of roof
dafür for it; - daß because
damals at that time
Dame, die, —, -n lady
damit at the same time, by,
thus, so that, with it, with
that
dämmern become dark (twi-
light), dawn; -d dusky, som-
nolent
Dämmerung, die, —, -en dawn,
dusk, gloom, twilight
dämpfen subdue
daneben beside it, next
Dank, der, -(e)s thank(s)

Dankbarkeit, die, —, gratitude
danken thank
dann furthermore, then; - und
wann every now and then
daran of it, to it; *often redundantly used*
darauf afterwards, upon it
darin in it, in which, where
Darstellung, die, —, en (re)pre-
sentation
darüber about it, of it, over it;
-hinaus beyond; -hingehen*
pass
darüber-legen, lay on top of a
thing
darum about it, of it, therefore
darunter among them, below,
beneath, underneath, with it
(them)
Dasein, das, -s existence
Datum, das, -s, *plur.* Daten date
dauern last, take
davon away, from it, gone, of it
davon-fliegen* fly away
davon-laufen* run away
davon-tragen* carry away
davor ahead of it, in front of it
dazu for that purpose, in addition; *often redundant*
dazwischen in between
dehnen, sich, extend, stretch
demnächst very soon
Demut, die, —, humbleness,
meekness
demütig humble, meek
denken, dachte, gedacht think
dennoch nevertheless
derartig such
dergleichen of that sort
der (die, das)jenige the one
der (die,das) selbe *see note*

desgleichen likewise
deshalb therefore; - weil because
deuten interpret
deutlich clear, distinct
dicht dense
dichten imagine, write poetry or fiction
Dichter, der, -s, - author, poet
dick fat, thick, stout
Diele, die, —, -n floor
diesmal this time
Ding, das, -(e)s, -e (*and* -er) thing
doch indeed, nevertheless, oh no (*or* yes); *often for emphasis only*
Doge, der, -n, -n doge; *see note*
Dolch, der, -(e)s, -e dagger
Dom, der, -(e)s, -e cathedral
Donnerstag, der, -(e)s, -e, Thursday
doppelt double
Dorf, das, -(e)s, ¨er hamlet, village
dort there
dove *Ital.* where
Drache, der, -n, -n dragon
Draht, der, -(e)s, ¨e wire
drängen press, push, squeeze, urge; sich - crowd, huddle; sich - durch force one's way through; sich - in intrude, invade
drauf upon it
draußen out, outdoors, outside, out there
drehen turn
dreimal three times
dringend pressing, urgent
drinnen in it, inside, within

drittenmal, zum, for the third time
drohen threaten; mit dem Finger - shake one's finger
drüben beyond, (on) the other side
Druck, der, -(e)s, -e print, publication
drücken press
drunter beneath
Duft, der, -(e)s, ¨e fragrance
duftend fragrant
dulden allow, suffer, tolerate
dumm stupid
Dummkopf, der, -(e)s, ¨e blockhead
dumpf hollow, with a hollow voice
dunkel dark, mysterious, sombre, vague; - gestrichen painted dark
Dunkel, das, -s, darkness, dusk, mystery
Dunkelheit, die, —, -en dark (ness), dusk, mystery
dunkeln be dark, darken, become dark
dünn thin
durch by, by means of, through; - einander pell mell; -aus by all means; -aus nicht by no means, not at all
durch-brechen* break through
durchdringen, a, u, penetrate, perceive
Durcheinander, das, - s chaos, pell mell
durch-führen carry through, succeed
durch-gehen* elope
durchscheinend transparent

durchziehen* cover
dürfen (darf) durfte, gedurft be
allowed
dürsten be thirsty

E

eben *adj.* even, smooth; *adv.*
indeed, just, recently, right
now, that is (to say); zu -er
Erde on the ground-floor
ebensowenig just as little
Ecke, die, —, -n corner
Effekthascherei, die, —, -en sen-
sationalism
ehe before; am -sten most
quickly
Ehre, die, —, -n honor
Ehrenmann, der, -(e)s, ⁻er man
of honor
Ehrenmitglied, das, -(e)s, -er
honorary member
Ehrenoberst, der, -en, -en honorary colonel (chief)
Ehrfurcht, die, —, -en awe, rev-
erence
ehrfürchtig reverent
Eifer, der, -s eagerness, zeal
eifern be eager, exclaim pas-
sionately
eifrig earnest, fervent
eigen own, proper
Eigenart, die, —, -en individual-
ity, peculiarity
eigenmächtig arbitrary
Eigenschaft, die, —, -en capacity, quality
eigentlich *adj.* proper, real; *adv.*
actually, exactly, originally,
practically, really
Eigentum, das, -(e)s, ⁻er, possession, property

eigentümlich peculiar, queer,
strange
eilen hurry
eilends in a hurry
eilig hurried, hurrying
einander each other, one another
Einband, der, -(e)s, ⁻e cover
Einbildung, die, —, -en imagination, phantasy
Eindruck, der, -(e)s, ⁻e impression
einemmal, mit, all of a sudden
einfach primitive, simple
Einfachheit, die, - simplicity
Einfall, der, -(e)s, ⁻e idea
ein-fallen* come to one's mind
occur, remember, think of
einfältig simple-minded, stupid
Einfluß, der, -es, ⁻e influence
einflußreich influential
ein-fügen bring in, mention
Einfuhr aus, die, —, -en im-
port(s) from
ein-führen import
Eingang, der, -(e)s, ⁻e entrance,
porch
ein-gehen* in (*or* auf) chime in
with, enter into, go into; -d
intensely
eingenommen gegen preju-
diced against
ein-gestehen* admit
eingezogen in seclusion
ein-gießen* pour
ein-holen catch up with
einig harmonious
einigen, sich, come to an agree-
ment
einiges something

einjährig (having lasted) one year; **-es Bestehen feiern** celebrate first anniversary

ein-laden° invite

Einleitung, die, —, **-en** introduction

einmal once, some time; **auf -** all of a sudden, at the same time; **nicht -** not even; **noch - once more**

ein-nicken doze off

ein-reden talk into; **sich nicht - lassen** not swallow

Einrichtung, die, —, **-en** arrangement

einsam empty, lonely, in solitude

Einsamkeit, die, —, **-eu** solitude

ein-schärfen coach, drub

ein-schlafen° fall asleep

ein-schließen° enclose, shut away; **sich -** go into seclusion (retreat)

ein-schüchtern intimidate

ein-sehen° realize, understand

ein-stecken, put into one's pocket

ein-stellen, sich, appear

ein-treten° enter

einverstanden sein consent

Einverständnis, das, **-ses, -se** understanding

ein-werfen° throw in

einzeln single; **-e** several

ein-ziehen° enter, move into

einzig only, single

Eisen, das, **-s, -** iron; **getriebenes -** wrought iron

eisern iron

Ekel, der, **-s** disgust

elend miserable, wretched

Eltern, die, *plur.* parents

Empfang, der, **-(e)s, ⁻e** reception

empfangen° be given, conceive, receive, welcome

empfinden, a, u, feel

Empfindung, die, —, **-en** sensation

empor up (to)

empor-steigen° rise

empört indignant

Ende, das, **-s, -n** end; **zu -e** finished, gone, over

endlich at last, finally

eng(e) close, narrow(ed)

Enge, die, —, **-n** narrowness

Engel, der, **-s, -** angel

Enkel, der, **-s, -** grandchild, grandson

Enkelin, die, —, **-nen** granddaughter

entblößen bare, uncover

entdecken discover

enterben disinherit

entfalten, (sich), develop, unfold

entfernen, sich, leave

entfernt away, distant

Entfernung, die, —, **-en** distance

entfliehen° escape, flee from

entgegen toward

entgegen-gehen° go to meet

entgegengesetzt opposite

entgegen-kommen° move toward

entgegnen *w.dat.* answer

entgehen° escape; **sich - lassen** miss

enthalten° contain; **sich - ** *w.gen.* refrain from

entquellen, o, o spring from

Vocabulary

entrichten pay
entrüsten, sich, be indignant
entschädigen compensate, reward
entscheiden, ie, ie decide
entschieden decided, determined; - nicht by no means
Entschiedenheit, die, - determination
entschließen,* sich, decide
Entschluß, der, -es, ⁀e resolution
entschuldigen, sich, to excuse
o. s., apologize
Entsetzen, das, -s horror
entsetzt horrified
entsinnen, sich, a, o remember
entsprechen* cope, correspond, grapple with; -d due
entstehen* arise, begin, ensue, originate, come into existence
entstellen disfigure
entweder . . . oder either . . . or
entweihen desecrate
entwerfen* design
Entwurf, der, -(e)s, ⁀e project
entziehen,* sich, w.dat. avoid, elude
entziffern decipher
erbauen build
Erbgut, das, -(e)s, ⁀er heritage
erblicken see
Erde, die, —, -n earth
ereifern, sich, become excited
ereignen, sich, happen
Ereignis, das, -ses, -se event
ererben inherit
erfahren* experience, go through, hear, learn

Erfahrung, die, —, -en experience
erfassen comprehend, seize
erfinden* invent
Erfolg, der, -(e)s, -e success
erfolgreich successful
erfreuen delight; sich - w.gen. enjoy
erfüllen accomplish, fill, fulfill, sich - be completed, fulfilled, materialize
erfüllt mit overflowing with
ergänzen add
ergeben meek, resigned
ergreifen, ergriff, ergriffen seize
erhalten* receive
erheben,* sich, come out, rise, stand out in relief against
erholen, sich, recover
erinnern, (sich), recall, remember, remind
Erinnerung, die, —, -en memory, remembrance, reminiscence
erkennen* make out, perceive, realize, recognize, see, understand; wieder- recognize
erklären declare, explain, make clear
erklärlich accounted for
erkundigen, sich, ask, inquire
erlauben allow, permit; sich - take the liberty
Erlaubnis, die, —, -se permission
erleben experience, meet with
Erlebnis, das, -ses, -se experience
erlernen learn

erlöschen, o, o be extinguished, fade away
ermüden tire
ernähren nourish
ernst, earnest, serious, solemn
Ernst, der, -(e)s, seriousness
ernstlich serious(ly), earnest
eröffnen begin, start
erregen excite, irritate
Erregung, die, —, -en, excitement
erreichbar within reach
erreichen attain, catch (up with), reach
erröten blush
erschauern shudder
erscheinen* appear, seem
erschöpft exhausted
erschrecken *tr.* startle; *intr.* a,o be frightened, be horrified
erschüttern shake, stir
erschweren make difficult
ersinnen, a, o compose
erst (at) first, only
erstarren petrify
erstarrt stagnant
erstaunen amaze, astonish, be astonished
Erstaunen, das, -s amazement
ersteigen* climb, mount
erstenmal zum, (for) the first time
Erstling, der, -(e)s, -e first fruit
erstrecken, sich, extend, spread
ertragen* endure, stand, tolerate
ertrinken* be drowned
erwachen awake *intr.*
erwachsen grown up
erwähnen mention
erwarten await, expect

erwartungsvoll expectant(ly)
erwehren, sich, *w.gen.* chase away, get rid of
erweisen* do, evince, show; sich - prove to be, render
erwerben* acquire
erwidern answer
erzählen tell; wieder- repeat, retell
Erzählung, die, —, -en narrative, story
Erzengel, der, -s, - archangel
Erziehung, die, - education
Erziehungsanstalt, die, —, -en boarding-school
essen (ißt) aß, gegessen eat
Etikett, das, -s -en label; -en tragen be labeled
etwa about; nicht - not by any chance
etwas something, somewhat
ewig eternal
Ewigkeit, die, —, - en eternity
existenzfähig qualified to exist

F

Fabrikant, der, -en, -en manufacturer
Faden, der, - s, ⸚n thread
Fähigkeit, die, —, -en, capacity
Fahnenvater, der, -s, ⸚ *see note*
fahren (ä),u,a drive, ride; heraus- burst out
Fahrt, die, —, -en ride
Fall, der, -(e)s, ⸚e case; auf keinen - by no means
fallen (ä), ie, a fall, be dropped
falls in case
falsch false, wrong
Falte, die, —, -n fold, wrinkle
Fangen, das, -s, tag

fangen (ä),i,a catch
Farbe, die, -, -n color
Fassade, die, —, -n façade, front
fassen grasp; sich - regain composure
fast almost
Feder, die, —, -n feather, pen
fehlen be due, be missing, lack
Fehlen, das, -s absence
Fehler, der, -s, - mistake
feierlich solemn
feiern celebrate, glorify, praise
feiertäglich festive
feind *poet.* hostile
feindlich hostile
Feld, das, -(e)s, -er field
Fels(en), der, -en(s), -en rock
Felsengesicht, das, -(e)s, -er face of the rock
Fenster, das, -s, - window; -brett, das, window sill
fern distant, far away, remote
Ferne, die, —, -n (distant) background, distance
fertig completed, finished, ready; - sein have finished
Fesseln, die, *plur.* fetters
Fest, das, -(e)s, -e feast, festival
fest fast, firm, tight
fest-halten° hold fast, hold on to, possess
Festlichkeit, die, —, -en festivity
fest-stellen arrange; das Programm - plan (make) the program
feucht moist
Feuerlilie, die, —, -n orange lily
Feuerwehr, die, —, -en fire-brigade, fire-men
finden, a,u find; sich zusammen - meet

Fingerhut, der, -(e)s, ⸚e thimble
finster dark, dusky
Finsternis, die, —, -se dark(ness)
Fittich, der, *poet.* -s, -e pinion, wing
flach flat
Fläche, die, —, -n plane, plate, surface
flackern flicker
Flamme, die, —, -n flame
Flasche, die, —, -n bottle
flehen entreat, implore, pray
Flickschuster, der, -s, - cobbler
fliegen, o, o fly
fliehen, o, o flee
Fluch, der, -(e)s, ⸚e curse
fluchen curse, swear
Flucht, die, - flight
flüchten escape
flüchtig slight, superficial, transient
Flügel, der, -s, - wing
folgen follow
folgendermaßen in the following way
förderlich furthering, useful
forschen inquire
fort away, gone
fort-drängen push away
fort-fahren° continue, go on
fort-geben° give away, spend
fort-gehen° continue, go on, leave
Fortkommen, das, -s career
Fortschritt, der, -(e)s, -e progress
fort-setzen continue
fort-stellen put away
fort-treten° step out
fortwährend always, continuously

fort-ziehen° divert, draw away
Frage, die, —, -n question
fragen ask; **-d** questioning
Frau, die, —, -en wife, woman
Fräulein, das, -s, - *here*: unmarried gentlewoman
frei free, liberal; **- machen** deliver, set free
Freiheit, die, —, **- en** freedom, liberty
freilich to be sure
freiwillig voluntary(ly)
fremd alien, strange, written (*or* done) by other person
Fremde, der, -n, -n stranger
Fremde, die, - foreign country; **in der -** abroad
Freude, die, —, -n joy
freuen, sich, be happy, enjoy, rejoice
Freund, der, -(e)s, -e friend
freundlich friendly
Freundlichkeit, die, —, -en courtesy
Freundschaft, die, —, -en friendship
frieren, o, o chill; **-d** chilly
frisch fresh, recent
froh cheerful, glad
fröhlich merry
fromm devout
Frömmigkeit, die, - devoutness, piety
fruchtbar fertile, prolific
früh early; **-er** before, formerly
Frühjahr, das, -(e)s, -e spring
Frühling, der, -e(s), -e spring; **-shimmel,** *i.e.* **Himmel im Frühling**
fügen compose
fühlen experience, feel; **sich eins -** harmonize

führen guide, lead
fünftorig with five gates
Funke, der, -ns, -n spark
für for; **- sich** by itself
Fürbitte, die, —, -n intercession, plea
Fürbitter, der, -s, - intercessor
Furche, die, —, -n furrow
furchtbar awful, dreadful
fürchten fear
fürchterlich horrible
furchtlos fearless
Fürst, der, -en, -en monarch, prince
Fürstentum, das, -(e)s, ⁻er principality
Fuß, der, -es, ⁻e foot

G

Gabe, die, —, -n gift
gähnen yawn
Gang, der, -(e)s, ⁻e, corridor, course
ganz all, entire(ly), quite, very, whole; **- und gar nicht** by no means, not at all
gar even, very; **- nicht** not at all
Garten, der, -s, ⁻ garden
Gasse, die, —, -n narrow street; *Austr.* street
Gast, der, -(e)s, ⁻e guest; **zu - sein** be a guest, entertained
Gasthaus, das, -(e)s, ⁻er inn
gastlich hospitable
Gastlichkeit, die, - hospitality
Gastmahl, das, -(e)s, ⁻er banquet
Gatten, die, *plur.* husband and wife
Gebärde, die, —, -n gesture
gebären (ie) a,o give birth

Gebäude, das, - s, - building

geben (i),a,e give; **es gibt** there is (are)

Gebet, das, -(e)s, -e prayer

Gebiet, das, -(e)s, -e territory

gebieten, o,o command

gebildet educated

Gebirge, das, -s, - mountain range

gebirgig mountainous

Gebot, das, -(e)s, - commandment, law

Gebrauch, der, -(e)s, ⁻e custom

gebrauchen use

Gedanke, der, -ns, -n thought

gedenken* *w. gen.* think of; *w.* zu intend, plan

Gedicht, das, -(e)s, -e poem

Gedränge, das, -s crowd

gedrängt, crowded, huddling, narrow

Geduld, die, —, patience

geduldig patient

Gefahr, die, —, -en danger

Gefalle(n), der, -ns, *plur.* **Gefälligkeiten** favor

gefallen* please

Gefangene, der, -n -n prisoner

Gefäß, das, -es, -e vessel

Gefühl, das, -(e)s, -e emotion, feeling, sentiment

gegen about, against, toward

Gegend, die, —, -en country, landscape, region, section

Gegenliebe, die, - response; - **finden** to meet with response (responsive love)

gegenseitig mutual

Gegenstand, der, -(e)s, ⁻e object, thing

Gegenteil, das, -(e)s contrary, opposite; **im -** on the contrary

gegenüber-stehen* face, look at

Gegenwart, die, - presence, present time

geheimnisvoll mysterious

gehen, ging, gegangen go, walk; *w. adv.* do, be . . . off; **nicht -** be impossible; **vor sich -** happen, take place

gehören belong; **sich -** be proper, correct

Geige, die, —, -n violin

Geist, der, -(e)s, -er attitude, ghost, spirit; **den - aufgeben** give up the ghost; **eines -es sein** be of kindred mind

geistreich brilliant, clever

Gelähmte, der, -n, -n lame man

Geländer, das, -s, - banister, balustrade

Geld, das, -(e)s, -er money

Gelegenheit, die, —, -en chance, occasion, opportunity

gelegentlich when there is a chance

Gelehrte, der - n -n scholar

gelingen,a,u *pers. and impers.* succeed, turn out well

gelten (i), a, o be considered, count

Geltung kommen,* **zur,** be impressive, have striking effect

Gemach, das, -(e)s, ⁻er chambre

Gemälde, das, -s, - painting

gemäß according to; **der Wahrheit -** truthfully

gemeinsam common, communal, mutual, sharing; in common, joint, together

Gemüt, das, -(e)s, -er mind

genau exact, thorough

geneigt inclined

genießen, o, o enjoy

genug enough
genügen suffice; -d sufficient (ly)
gepflegt well kept
gerade straight; just (now); -zu downright, even; - richten straighten
Gerät, das, -(e)s, -e tool
geraten° be overcome by, come by chance into, get into
Geräusch, das, -(e)s, -e noise
gerecht just
Gerechtigkeit, die, —, justice
gering small
gern(e) glad(ly); - etwas tun like to do
Gerücht, das, -(e)s, -e rumor
Gesang, der, -(e)s, ⁓e singing, song
Geschäftigkeit, die, fus, fussiness
geschäftlich businesslike
geschehen (ie),a,e, happen
Geschenk, das, -(e)s, -e gift
Geschichte, die, —, -n affair, story
geschickt clever
Geschlecht, das, -(e)s, -er family, generation, tribe
Geschöpf, das, -(e)s, -e creature
Geschwindigkeit, die, —, -en speed
Geschwister plur. brother(s) and sister(s)
Gesellschaft, die, —, -en assembly, club, group, society
gesellschaftlich social
Gesetz, das, -es, -e law
Gesicht, das, -(e)s, -er face; zu -e bekommen° catch sight

of, see; zu -e kommen show up
Gesindel, das, -s mob, rabble
gespannt curious, suspense
Gespielin, die, —, -nen playmate *f.*
Gespräch, das, -(e)s, -e conversation
Gestalt, die, —, -en figure, form
gestalten form, word
gestatten allow
gestehen° admit, confess
Gestein, das, -(e)s, large block, rocks
gesund healthy (looking)
Gesundheit, die, —, health, soundness
Gewächs, das, -es -e plant
gewahren become aware of, perceive, see
gewähren grant
Gewalt, die, —, -en power
Gewand, das, -(e)s, ⁓er gown
Gewehr, das, -(e)s, -e gun
Gewesene, das, -n *p.p. of* sein
gewinnen,a,o acquire, win
gewiß certain(ly), (a) kind of
Gewissen, das, -s conscience
gewissermaßen in a way, so to speak
Gewißheit, die, —, -en certainty
gewöhnen an, sich, adapt o.s. to, get used to
Gewohnheit, die, —, -en habit
Giebel, der, - s, - gable
gießen, o, o pour
Gift, das, -(e)s, -e poison
giftig venomous(ly)
Gipfel, der, -s, - peak, top

Gitter, das, -s - iron fence

Gittertür, die, —, en gate (of iron grating)

Glanz, der, -es, glint, light, shine

glänzen beam, radiate, shine; -d brilliant, polished, shining

Glanzpapier, das, -(e)s, -e satin-paper

Glas, das, -es, ⁔er glass, lens

Glasfluß, der, -es frit, vitreous paste

glatt smooth

glätten smooth

Glatze, die, —, -n bald head

Glaube, der, -ns faith

glauben believe, think

Glaubensgenosse, der, -n, -n coreligionist, fellow-believer

gleich same; at once, equally, immediately

gleichen,i, i resemble

gleichfalls also

gleichförmig monotonous

Gleichgewicht, das, -(e)s balance, equilibrium

gleichgültig indifferent

gleichsam as if, as though, quasi, so to speak

gleichviel anyway

gleichzeitig at the same time

gleiten, glitt, geglitten, glide

glitschig slippery

Glocke, die, —, -n bell

Glück, das, -(e)s fortune, good luck, success

glücklich happy

glucksen chuckle

glühen glow

goldig golden, like gold

goldlinig golden; *see note*

Goldschmied, der, -(e)s, -e goldsmith, jeweler

gotisch Gothic

Grab, das, -(e)s, ⁔er grave

Grabdenkmal, das, -(e)s, -er cenotaph, sepulchral monument

graben (ä), u,a, dig

Grabstätte, die, —, -n burial plot

Grad, der, -(e)s, -e degree, extent; im höchsten -e extremely

Grammatik, die, —, -en grammar

gräßlich disagreeable

grau gray

graus *poet.* terrible

grausam cruel

greis very old

Greis, der, -es, -e very old man

Grenze, die, —, -n border

grenzen border

grenzenlos infinite

grob crude, rough

Groll, der, -(e)s anger, grudge

Groschen, der, -s, - German nickle coin; keinen - not a farthing

groß big, great, grown up, tall; -werden widen

Größe, die, —, -n bulk

Großvater, der, -s, ⁔ grandfather

grün green

Grund, der, -(e)s, ⁔e background, foundation, ground, reason; im -e as a matter of fact, fundamentally, in truth

Gründer, der, -s, - founder

173

Gründung, die, —, -en foundation

Gruß, der, -es, ‟e greeting

grüßen bow, greet, send (*or* give) regards

Grütze, die, —, -n grits, porridge

Gunst, die, - favor; zu -en in favor of

günstig favorable

Gut, das, -(e)s, ‟er property

gut, good, well; es - haben be well of

Güte, die, - charity, kindness

gütig kind

gut-machen repair

H

Haar, das, -(e)s, -e hair

Habe, die, - property

Habgier, die, - greed

halb half

halt stop

Halt, der, -(e)s stay, support

halten (ä), ie, a hold, keep; - für consider; sich - last

Haltung, die, - bearing, posture

Händefalten, das, -s clasping *or* folding of hands

Handel, der, -s - trade

handeln bargain, take place; - von deal with; sich - um *impers.* be in question, be dealt with

Handlung, die, -, -en act, deed

Handschuh, der, -(e)s, -e glove

Handwerk, das, -(e)s, -e business, trade

Hang, der, -(e)s, ‟e slope

hängen (*and* hangen, i, a) hang, be in suspense, rest; - bleiben be caught

hart hard; *Austr.* close

Härte, die, —, -n harshness

hastig hasty

häßlich nasty, ugly

hauen, hieb (*and* haute) gehauen strike

Haufe(n), der, -n(s), -n pile

häufig frequent

Haupt, das, -(e)s, ‟er head

Haus, das, -es, ‟er house; nach -e home; zu -e at home

Hausbesitzer, der, -s, - houseowner

Häuserreihe, die, —, -n row of houses

Hausfrau, die, —, -en housewife, lady of the house

Hausherr, der, -n, -en host, master of the house

Haustür, die, —, -en door-way, street-door

Haut, die, —, ‟e skin

heben, o,o raise; sich - rise

Heer, das, -(e)s, -e army

heften fasten, nail

heftig violent

Heftigkeit, die, - ardor, vehemence

Heide, die, —, -n heath, heather

Heidehaus, das, -es, ‟er house in the heath

heilig holy, saint

Heiligenbild, das, -(e)s, -er image of a saint

heilsam curative, wholesome

Heimat, die, - home (town, country), residence

heimlich secret

heiraten marry

heiser hoarse

heiß hot
heißen,ie, ei be called, mean;
das soll - that is
heiter cheerful
Heiterkeit, die, - cheerfulness,
serenity
Held, der, -en, -en hero
heldenhaft heroic
helfen (i), a, o help; was hilft
what is the use
hell beaming, bright, light, lit-
up
Hemd, das, -(e)s, -en chemise,
shirt
hemmen retard
her ago, here
herab-flattern flutter down
herab-hängen* dangle
heran-bilden educate, instruct
herauf up
heraus out (of)
heraus-kommen* come out (of)
herbei here, there
herbei-eilen appear hurriedly
Herbst, der, -(e)s, -e autumn,
fall
herbstlich autumnal
Herbstmorgen, der, -s, - morning in the autumn
Herde, die, —, -n flock, herd
herein in
herein-brechen* über, befall,
overcome, seize
herein-kommen* enter
her-langen, get, take
Herr, der, -n, -en gentleman,
Lord, Sir, master
herrlich gorgeous
Herrlichkeit, die, —, -en glory,
magnificence

Herrscher, der, -s, - ruler, sov-
ereign
herum about, around
herum-gehen* walk (around)
herum-sprechen,* sich, spread
herum-treiben,* sich, hang
about, loiter
herunter-fallen* drop (down)
herunter-schauen look down
herunter-schießen* shoot down
herunter-sehen* look down
herunter-steigen* descend
hervor-bringen* produce
hervor-gehen* come from; be
produced by
hervorragend prominent
hervor-sehen* look out from,
show
Herz, das, -ens, -en heart; am
-en liegen* be important to
herzlich cordial, intimate, warm
herzu-treten* step up
hetzen rush; *p.p.* hectic
heut(e) today
Hieb, der, -es, -e stroke
hieb *see* hauen
hiesig local
hilflos helpless
hilfreich helpful
Himmel, der, -s, - heaven, sky
Himmelfahrtstag, der, -(e)s, -e
Ascension-Day
hinab down
hinab-steigen* go down
hinab-stürzen tumble
hinauf up
hinauf-steigen* ascend, climb
hinaus out
hinaus-gehen* über pass
hinaus-tragen* carry out

Hindernis, das, -ses, -se hindrance, obstruction
hindurch through; *often reduntantly used with* durch
hindurch-fahren* pass
hinein in, into
hinein-legen invest, put in(to)
hinein-mischen, sich, meddle with, take part in
hin-gehen* lassen* not mention
hin-gleiten* glide along
hin-reisen go there
hin-reißen* carry (tear) away
hin-sehen* look at (there)
hin-setzen place; sich - sit down
hinten at the very end (*i.e. of book*)
hinter after, behind, following; - . . . her behind
Hintergrund, der, -(e)s, ⍽e background
hinterlassen* leave
Hinterstube, die, —, -n backroom
hin-tun* do (with), put
hin und her about, to and fro
hinunter down
hinunter-fallen* fall down
hinweg away
hinzu-fügen add
Hinzugekommene, der, -n, -n newcomer
historisch historical
hoch *f. and plur.* hohe high, tall; - ziehen pull down, raise; hohes Alter old age
Hochmut, der, -(e)s arrogance, haughtiness
hochmütig haughty
höchstens if at all, only

Hochzeit, die, —, -en wedding
Hof, der, -(e)s, ⍽e courtyard, farm
hoffen hope; - auf put one's trust on
Hoffnung, die, —, -en hope
höflich polite
hohe *see* hoch
Höhe, die, —, -n height; in der - *w. gen.* on the same level with; *fig.* brightness
holen fetch, go for, take, remove
holländisch Dutch
Holz, das, -es, ⍽er timber, wood
Holzspänchen, das, -s, - chip of wood
horchen hark, listen
hören hear
Hörensagen das, hear-say
Hund, der, -(e)s, -e dog
hungern starve
husten cough
Hut, der, -(e)s, ⍽e hat
Hütte, die, —, -n cottage, hut

I

immer always; *w.comp.* more and more; - noch still; - wieder again and again
immerfort always, continuously
immerhin anyway
imponieren impress
imstande able
indem by, while *w. pr.p.*
indessen however, in the meantime
infolge as a result of
Inhalt, der, -(e)s, -e content
innen inward(ly), within

innig close
interessieren interest; sich - be
    interested
inzwischen in the meantime
irdisch earthly, of the earth
irgendein any, some
irgend etwas anything, some-
    thing
irgendwann at some time, once
irgendwie somehow
irgendwo somewhere
irre confused, wavering
irren be mistaken, rove

J

ja indeed, yes; - . . . wohl I
    suppose
jagen chase, gallop, pursue
Jäger, der, -s, - hunter
Jahr, das, -(e)s, -e year
Jahrhundert, das, -s, -e century
Jahrtausend, das, -s, -e millen-
    ium
je ever; - . . . desto the (more)
    . . . the (more); - nachdem
    according to circumstances
jedenfalls anyway, at any rate
jeder each, everybody
jedesmal each time
jemals ever
jemand anyone, someone
jener, jene, jenes that
jenseitig on the other end *or*
    side
jenseits beyond, on the side of
jetzt now
jeweilig respective, whichever
    was (*or* is)
Jubel, der, -s exultation, jubi-
    lant shouts

Jubiläum, das, -s, *plur.* Jubi-
    läen anniversary; -sbild, anni-
    versary painting
Jude, der, -n, -n Jew
Judenmädchen, das, -s, - Jewish
    girl
Jugend, die, - youth
jugendlich childlike, youthful
jung young
Jungfrau, die, —, -en virgin
Jüngling, der, -s, -e youth,
    young man

K

Kaftan, der, -s, -e (*or:*-s) caftan
Kahn, der, -(e)s, ⸚e boat
kalt cold
Kammer, die, —, -n chambre,
    small room
kämpfen fight
Kanal, der, -s, ⸚e canal, chan-
    nel
Kanarienvogel, der, -s, ⸚ canary
kantig jagged
Kapellchen, das, -s, - little
    chapel
Karneval, der, -s, -e(*or* -s) car-
    nival
kaufen buy
Kaufmann, der, -s, *plur.* Kauf-
    leute businessman, merchant
kaum hardly
Kehrreim, der, -s, -e refrain
Keim, der, -(e)s, -e germ, seeds
kein (er,e,es) none, not a
keineswegs by no means
Kelch, der, -(e)s, -e calyx
kennen, kannte, gekannt, know
Kenner, der, -s, - connoisseur,
    expert

Kern, der, -(e)s, -e kernel

Kerze, die, —, -n candle, taper

Kette, die, —, -n chain

kichern giggle

Kind, das, -(e)s, -er child

Kindergesellschaft, die, —, -en children's party

kinderhaft as of children, childish

Kinderschulter, die, —, -n childish shoulder

Kindheit, die, - childhood

Kirche, die, —, -n church

Kirchenkuppel, die, —, -n cupola, dome of church

Kirchenschlüssel, der, -s, - church-key

Kirchentor, das, -(e)s, -e gate of the church, portal

Kirchhof, der, -(e)s, ̈e cemetary

Kissen, das, -s, - cushion

Klage, die, —, -n lament

klagen complain; **-d** plaintive

Klang, der, -(e)s, ̈e sound

klar clear, clear-cut, distinct, light, visible

klären, sich, clear up

Klarheit, die, - clarity, serenity

Klavier, das, -(e)s, -e upright piano

kleben stick

Kleid, das, -(e)s, -er cloth, dress, gown; **-chen** short (*or* small) dress

kleiden clothe

Kleidung, die, - clothes

klein little, small

kleinmütig downhearted

klettern climb

klingen, a, u ring, sound, tinkle

Kloster, das, -s, ̈ monastery

Knabe, der, -n -n boy

knabenhaft boyish

knapp scarce, short

kneten knead

Knicks, der, -es, -e curtsy

knicksen curtsy

Knie, das, -s, -(e) knee; **in die -e drücken** bring to one's knees

knie(e)n kneel

Knospenschale, die, —, -n petal

Kollege, der, -n -n colleague

Kommission, die, —, -en committee

kommen, a,o come, happen, be possible

kompliziert complicated

König, der, -(e)s -e king

können, konnte, gekonnt be able; **dafür** - be to blame for

Kontur, die, -en contour, outline

Kopf, der, -(e)s, ̈e head

köpfen behead

Korn, das, -(e)s, ̈er grain

Körper, der, -s, - body

Kosak, der, -en, -en Cossack; *see note*

kostbar costly, delicious, precious

kosten taste, try

köstlich costly, delicious, delightful

Kraft, die, —, ̈e power, strength

krank sick

kränkeln ail, be in poor health

kränken hurt, injure

kränklich sickly

kratzen scratch

Kreis, der, -es, -e circle

kreischen squeak

Kreuz, das, -es, -e cross, small-bone

kriechen, o, o crawl

Krieg, der, -(e)s, -e war

kritisch critical

Krug, der, -(e)s, ‟e jug, pitcher

Kugel, die, —, -n ball

kühl cool

kühn bold

Kühnheit, die, - boldness

kümmern, sich, be concerned with, bother with, take trouble

kundig, expert, skilful

Kunst, die, —, ‟e art

Künstler, der, -s, - artist

Künstlerverein, der, -(e)s, -e artists' club

Kuppel, die, —, -n cupola, dome

Kurgan, der, -(e)s, -e *see note*

kurz abrupt, brief, short; - darauf soon after; über ein -es *poet.* soon

Kürze, die, —, -n shortness; in - briefly

kürzlich recently

küssen kiss

L

lächeln smile

lachen laugh

lächerlich ridiculous

laden (a *and* ä) u,a invite, load

Lage, die, —, -n location, position; in die - kommen have the opportunity

lagern settle

Lagune, die, *Ital.*, —, -n lagoon

Lagunennacht, die, —, ‟e night on the lagoon

lahm lame

lähmen paralyse

Lampe, die, —, -n lamp

Land, das, -(e)s, ‟er country, land

Landkarte, die, —, -n map

Landschaft, die, —, -en landscape

Landstreicher, der, -s, - vagabond

lang for a while, long; *with time* for; -e for a long time; noch -e nicht far from (being); seit -em since long

langsam slow

längst for a long time, since long

Lärm, der, -(e)s noise

lassen, (ä) ie, a let; Zeit - give time

Latte, die, —, -n board, lath

lau mild

Laubengang, der, -(e)s, ‟e arcade

Lauf, der, -(e)s, ‟e quick movement, roulade, run

laufen (äu) ie, au run

Laune, die, —, -n mood

lauschen hearken, listen

laut loud; - werden von resound with

lauten read, run

lauter many, nothing but

lautlos soundless

leben be alive, live; - von live on, be enlivened by; leb wohl farewell; leben Sie wohl good-bye

Leben, das, -s, - life
lebendig living
leer empty
leeren empty
legen lay, put; **sich** - lie down
Lehm, der, -(e)s loam
lehnen (sich), lean (against)
Lehnstuhl, der, -(e)s, ˮe arm-
chair
lehren teach
Lehrer, der, -s, - teacher
Lehrsatz, der, -es, ˮe rule, theo-
rem
Lehrtätigkeit, die, —, activity
as a teacher
Leib, der, -(e)s, -er body
leicht easy, gay, light
Leichtigkeit mit, easily
leiden, litt, gelitten suffer; -
unter suffer from
Leiden, das, - s, - suffering
leid tun˚ (*or* sein *impers.* to be
sorry for
Leierkasten, der, -s, ˮ hurdy-
gurdy
leise noiseless, slight, soft
leisten accomplish, perform
Leiter, die, -, -n ladder
lesen (ie) a,e read
letzt last, ultimate, utmost
leuchten shine
leugnen deny
Leute, die, *plur.* people
Libellenflügel, der, -s, - wing of
a dragon-fly
licht bright, light, serene
Licht, das, -(e)s, -e(r) candle,
light
Lichtpunkt, -(e)s, -e luminous
point

Lichtstreifen, der, - s, - streak
of light
Lid, das, -(es), -er eyelid
lieb dear, kind; -er rather; **am**
-**sten** best; **der -e Gott** the
Lord
Liebe, die, —, -n love
lieben like, love
liebenswürdig amiable
Liebespaar, das, -(e)s, -e lov-
ing couple
lieb-haben be fond of, love
Lied, das, -(e)s, -er song
liegen,a,e be, be located, situ-
ated; **es liegt mir an** I am in-
terested in
lindern alleviate
link left
Linke, die, -n left hand (*or*
side)
links on the left; **von** - from the
left side
Lippe, die, —, -n lip
listig sly
Lob, das, -(e)s, -e praise; - **er-**
statten praise
Loch, das, -(e)s, ˮer hole
Löffel, der, - s, - spoon
Lohn, der, -(e)s, ˮe reward
Los, das, -es, -e fate, lot
lösen remove; **sich** - emerge
los-kommen˚ free *o.s.*, come
free, get off
los-lassen˚ give free, leave, let
go
los-machen free, rid
Lösung, die, —, -en answer, solution
Löwe, der, -n, n lion
Luft, die, —, ˮe air
Lüge, die, —, -n lie

lügen, o,o lie
lügnerisch false
Lumpen, die, *plur.* rags
Lust, die, —, ⁻e desire, eagerness; **- haben** be keen (on doing)
lustig gay
Lustigkeit, die, - mirth

M

machen make; *coll.* say casually
Macht, die, —, ⁻e power
mächtig mighty, powerful, strong
Machwerk, das, -(e)s, -e inferior (clumsy) work
Mädchen, das, -s, - girl
Madonnenbild, das, -(e)s, -er picture of the Madonna
mag *see* **mögen**
mager lean, thin
mahnen remind
Majestät, die, —, -en majesty
Mal, das, -(e)s, -e time; **das nächste -** next time; **mit einem -e** all of a sudden
mal *adv.* just, once
malen paint
Maler, der, -s, - painter
Malerei, die, —, -en (art of) painting
malerisch painter's, picturesque
manch many a, some; **-es** a good deal
mancherlei various (things)
manchmal sometimes
Mann, der, -(e)s, ⁻er husband, man; **wie ein -** unanimously
männlich male, man's, masculine

Mantel, der, -s, ⁻ cloak, coat, gown
Märchen, das, -s, - fairy-tale
Marmor, der, -s, marble
Marmorbruch, der, -(e)s, ⁻e marble-quarry
Marmorschale, die, —, -n marble basin (*or* font)
Maß, das, - es, -e measure; **in gleichem -e** equally; **im höchsten -e** extremely
maßgebend authoritative, competent, decisive; **-e Stelle** leading circles
Mast, der, -(e)s, -e(n) mast
matt dim, dull, languid, listless, tired
Mauer, die, —, -n (stone)wall
mechanisch automatic, mechanical
Meer, das, -(e)s, -e ocean
mehr more, (any) longer; **immer -** more and more
mehrere several
Meilenstein, der, -(e)s, -e milestone
meinen imagine, mean, say, think
Meinung, die, —, -en opinion
meist most; **-ens** usually
Meister, der, -s, - master
Menge, die, —, -n crowd, multitude; **eine -** many, much
Mensch, der, -en, -en human being, man
Menschheit, die, - mankind
menschlich human
merken notice; **sich -** keep in mind, remember, retain
merkwürdig strange
messen (i), a,e measure

Messer, das, -s, - knife
Met, der, -(e)s mead
Miene, die, —, -n air, mien
mieten rent
Mietshaus, das, -es, ⸚er apartment-house
Milde, die, - clemency, kindness
mindestens at least
Mißtrauen, das, -s distrust
mißtrauen mistrust
Mißverständnis, das, -ses, -se misunderstanding
mit with, by, by means of, through
mit-bringen° bring along
Mitbürger, der, -s, - fellow-citizen
miteinander with each other (one-another)
mit-gehen° go (along with)
Mitglied, das, -(e)s, -er member
Mitleid, das, -(e)s compassion
mitleidig merciful, sympathetic
mit-nehmen° carry away, take along
Mitra, die, —, *plur.* Mitren mitre, bishop's cap
mit-reden put in a word
Mitte, die, - center, middle; in der - der Gasse on the drive way
mit-teilen tell
mittellos destitute, needy
Mittelton, -(e)s, ⸚e intermediary tone
mitten (in) in, in the midst of; - drin in the midst of it
Mitternacht, die, —, ⸚e midnight

Mittlere, der (die,das), the one in the center
mit-tragen° carry along
mit-tun° join
Mittwoch, der, -(e)s, -e Wednesday
mit-ziehen° drag *or* take along
Möbel, die, *plur.* furniture
Mode, die, —, -n fashion
mögen (a), mochte, gemocht be willing, like, may, might, ought to
möglich possible; alle -en all kinds of
Möglichkeit, die, —, -en chance, possibility
Mohn, der, -(e)s poppy-seed
Mönch, der, -(e)s, -e monk
Mond, der, -(e)s, -e moon
Mondlicht, das, -(e)s moonlight
morgen tomorrow
Morgen, der, -s, - morning
morgens in the morning
morsch rotten
Most, der, -(e)s, -e must, new wine
Motiv, das, -(e)s, -e motif, subject
müde fatigued, tired
Mühe, die, —, -n difficulty, effort, trouble
mühelos without effort
Mühle, die, —, -n mill
mühsam with effort (*or* difficulties), painstaking(ly)
München Munich
Mund, der, -(e)s, ⸚er mouth
Münze, die, —, -n coin
murmeln murmur
Musiker, der, -s, - musician
müssen be obliged to, have to

Muster, das, -s, - sample
Mutter, die, —, ⁻ mother
Mütterchen, das, -s, - little (*or* dear) mother

N

nach after, according to, following, judging by, toward
Nachahmer, der, -s, - imitator
Nachbar, der, -n -n neighbor m.
Nachbarin, die, —, -nen neighbor f.
Nachbarstochter, die, —, ⁻ neighbor's daughter
Nachbarschaft, die, - neighborhood
nachdem after; *cf.* je
nach-denken* meditate, ponder, reflect
Nachdenken, das, -s reflection
nachdenklich thoughtful, wondering
nach-forschen investigate
nachher afterwards
nach-holen make up for
Nachkomme, der, -n, -n descendant
nach-rufen* call (*or* shout) after
Nachschrift, die, —, -en appendix, postscript
nach-sinnen, a,o, muse, ponder
nächst next
Nächstenliebe, - charity, love of one's neighbor
Nacht, die, —, ⁻e night
nächtlich night-, nocturnal
nachts at night
Nachtvogel, der, -s, ⁻ nocturnal bird

nach-zeichnen outline, trace
nackt naked
nah(e) near (by), close, intimate
Nähe, die, - nearness, neighborhood, proximity; aus der - from near
nahe- bringen* bring near
nähen sew
nähern, sich, approach
nähren nourish
Namenstag, der, -(e)s, - nameday
nämlich for, namely, that is
Narr, der, - en, -en fool
Nase, die, —, -n nose
Nasenloch, das, -(e)s, ⁻er nostril
naß wet
natürlich natural
Neapel, - s Naples
neben beside; -an in the next room; -bei by the way; -einander side by side, together
Nebenzimmer, das, -s, - adjacent room
nehmen (i),a,o take
Neid, der, -(e)s, envy, jealousy
neigen sich, bend down (*or* over), incline
nennen, nannte, genannt call, mention, name
nennenswert worth mentioning
Netz, das, -es, -e net(work)
neu new; aufs -e anew; von -em again, anew, once more
neugierig curious
neulich recently, the other day
nichts nothing
nicken nod
nieder *adv.* down; *adj.* low, with low ceiling

nieder-blicken look down
nieder-fallen° be dropped, fall
nieder-knie(e)n kneel (down)
nieder-lassen,° sich, come down, settle
nieder-legen, sich, lie down, prostrate
nieder-stellen put down
nieder-werfen,° sich, prostrate
nie(mals) never
niemand, -(e)s nobody; - an-der(e)s nobody else
Nimbus, der, —, -se halo
nirgends nowhere
nirgendwo nowhere
Nixe, die, —, -n mermaid
noch still; - ein(er,e,es) another; - immer still; - nicht not yet; immer - nicht not even now
nochmals once more
nonnenhaft nunnish
Norden, der, -s north
Not, die, —, ⁀e distress, neces-sity, need, poverty; vor - needs, out of distress
not-tun° be necessary
notwendig necessary
Notwendigkeit, —, -en neces-sity
novellistisch fictional, novelis-tic
nun now, well; - ja well . . .
nunmehr now
nur only

O

ob whether; als - w. subj. as if
oben above
obendrein in addition
Oberfläche, die, —, -n surface

Obstbaum, der, -(e)s, ⁀e fruit-tree
Obstgarten, der, -s, ⁀ orchard
obwohl although
öde dull
Ofen, der, -s, ⁀ fire-place, oven, stove
offen open, running
offenbar clear, evident, known, obvious
öffnen open
oft often; des ⁀teren, every now and then
ohne without
ohnehin anyway, apart from that
Ohr, das, -(e)s, -en ear
Ölskizze, die, —, -n sketch in oil
opfern sacrifice
Ordnung, die, —, -en order; nach der - in a certain order, taking turns
Orientierung, die, —, -en in-formation
Ort, der, -(e)s, -e (and ⁀er) place, town, village; maßge-benden -es in the leading cir-cles
Osten, der, -s east
Ouvertüre, die, —, - n overture

P

paar, ein, a couple of, some
Paket, das, -(e)s, -e parcel
Palast, der, -es, ⁀e palace
Palazzo *Ital.* palace
Papierschnitzel, das, (*or* der), -s, - scrap of paper
Papst, der, -(e)s, ⁀e pope
passen befit, fit, go with, suit; -d suitable

passieren happen

Persönlichkeit, die, —, -en individual, person, personality

perspektivisch in perspective

Pfahl, der, -(e)s, $\ddot{\ }$ peg, pole

Pfeife, die, —, -n pipe, whistle

Pferd, das, -(e)s, -e horse

Pferdebahn, die, —, -en horse-drawn trolley

Pflaster, das, -s pavement

pflegen be accustomed, cherish, usually do; Rat - a, o, deliberate, keep counsel

Pflicht, die, —, -en duty

Pickelchen, das, -s, - little pimple

Plage, die, —, -n trouble

plagen, sich, drudge

Plan, der, -(e)s, $\ddot{\ }$e idea, plan, project

plan flat

Planke, die, —, -n board, plank

planlos at random

Platz, der, -es —, $\ddot{\ }$e place, plaza, square, town, village

plaudern chat

plötzlich suddenly

pochen knock

polnisch Polish

prächtig splendid

preisen, ie, ie praise

Prüfung, die, —, -en examination

psalmend as though singing psalms, psalmodic

Punkt, der, -(e)s, -e period point, pole, spot; das $\ddot{\ }$chen small peck

Pupille, die, —, -n pupil

Puppentheater, -s, - puppet-play

purpurn purple

putzen polish

Q

quälen tease, torture; sich - bother

Qualm, der, -(e)s smoke

Quell, der, -s spring (water)

quer across; - darüber across it; - über across

R

rächen revenge

Rad, das, -(e)s, $\ddot{\ }$er wheel

Radiergummi, -s eraser, rubber

ragen über tower over

Rahmen, der, -s, - frame

Rand, der, -(e)s, $\ddot{\ }$er border, boundary, edge

Rang, der, -(e)s, $\ddot{\ }$e position, rank

rasch quick

rasen rage, storm; -d furious, violent

Rat, der, -(e)s, *plur.* -schläge suggestion; - pflegen a,o deliberate, keep counsel; keinen - wissen not know what to do (*or* say); um - bitten seek advice

Rat, der -(e)s, $\ddot{\ }$e councillor; *without plur.* Council, Senate

raten (ä), ie, a suggest

Rätselfrage, die, —, -n problem, riddle

rätselhaft mysterious

Rauch, der, -(e)s smoke

Raum, der, -(e)s, $\ddot{\ }$e room, space; - geben give way

185

räumlich local, topographic(al)

rauschen ring, rustle

recht, correct, right; rather, quite, very; **erst** - even more; **erst** - **nicht** even less; - **geben** justify; - **haben** be right; - **sein** be all right, please

Recht, das, -(e)s, -e right; **von** -s **wegen** by rights; **in** -e **eingesetzt werden** be given one's rights

Rechte, die, -n right hand (*or* side)

Rechtgläubige, der, -n, -n Orthodox, member of Eastern Church

Rechtlichkeit, die, - righteousness

rechts on the right side

Rechtswohnende, der, -n, -n one living on the right side

rechtzeitig in time, timely

Rede, die, —, -n speech; **die** - **sein** *impers.* be the topic of discussion

reden talk, speak

regen, sich, move

reglos motionless

Reh, das, -(e)s, -e deer, roe

Reich, das, -(e)s, -e realm

reich magnificent, rich

reichen be (long) enough, give, offer, reach, suffice; **die Hand** - shake hands

Reichtum, der, -(e)s, ̈er wealth

Reihe, die, —, -n group, turn; **die** - **beginnen,** a,o be the first; **der** - **nach** in turns

rein clear, distinct, faultless, pure

Reise, die, —, -n journey, trip; **auf** -n traveling

Reiseabenteuer, das, -s, - adventure during journey

reisen travel

reißen, i, i tear

reiten, i, i ride on horseback

reizen irritate; -d charming

Rest, der, -(e)s, -e(r) remnant

richten *see* gerade-richten

richtig correct, real; that's it

Richtung, die, —, -en direction

Riegel, der, -s, - bolt

Riesenturm, der, -(e)s, ̈e gigantic tower

riesig gigantic

ringen, a, u be in conflict, fight

Ringen, das, -s hard struggle, wrestle

Ritt, der, -(e)s, -e ride (on horseback)

Ritter, der, -s, - knight

Rock, der, -(e)s, ̈e (over)coat

rot red; - **werden** blush

rothaarig red-haired

rötlich reddish

ruchlos base, infamous

Rücken, der, -s, - back, ridge

rücken (an) move, push

Rückschlag, der, -(e)s, ̈e reaction, relapse

rücksichtslos inconsiderate, rough

rückwärts (nach) back(wards)

Ruf, der, -(e)s, -e call

rufen, ie, u call, cry, exclaim

Ruhe, die, - peace, quiet

ruhen idle, rest

ruhig calm, motionless, quiet

Ruhm, der, -(e)s fame, glory

rund round

runden round

Rundung, die, —, -en curve, roundness

rühren, (sich), move, stir; *see* anrühren

Ruß, der, -es smut

Rußland, -s Russia

russisch Russian

rüstig alert

S

Saal, der, -(e)s, *plur.* Säle hall

Sache, die, —, -n affair, thing

sachte gently

Sachverständige, der, -n -n expert

Säckchen, das, - s, - little bag, pouch

Saite, die, —, -n string

Same(n), der, -n(s), *plur.* Samen seed

sammeln, sich, gather, meet

Samstag, der, -(e)s, -e Saturday

samt with

Samt, der, -(e)s, -e velvet

samten as soft as (*or* made of) velvet

sämtlich(e) all

sanft gentle, soft

sangbar melodious, singable

Sänger, der, -s, - singer

Satz, der, -es, "e sentence

saugen,o,o suck

Säule, die, —, -n column, pillar

Saum, der, - (e)s, "e hem; der letzte - bottom of dress

schade too bad, what a pity

schaden be harmful; schadet nichts never mind

schaffen work; sich zu - machen busy o.s.; u,a create

schämen, sich, be ashamed, be bashful

schamhaft bashful

scharf pointed, sharp

Scharfsinn, der, -(e)s sagacity

scharfsinnig clever, pointed

Schatten, der, -s, - shade, shadow,

schattig dark, in the shade, shaded, shadowy, unilluminated

Schatz, der, -es, "e treasure

schauen look, see; vor sich hin - look into space

Schauspiel, das, -(e)s, -e drama, stage play

scheinbar apparent(ly)

scheinen, ie, ie appear, seem, shine

schelten(i),a,o scold

schenken give, let a.p. keep; *poet.* pour

Scherben, der, (*and* die Scherbe), -s, - (*f.*, —, -n) fragment

scherzen joke

scheu shy

Scheu, die, - shyness, timidity; eine - haben eschew, be reluctant

schicken send

Schicksal, das, -s, -e destiny, fate

schieben, o, o push, shove

schießen, o,o shoot

schildern describe

schimpfen call names, grumble
Schirm, der, -(e)s -e umbrella
Schlacht, die, —, -en battle
Schlaf, der, -(e)s sleep
Schläfe, die, —, -n temple
schlafen (ä),ie,a sleep
schlagen(ä) u,a beat; sich - in
    shift in(to); herum- mit cast
    about
Schlagschatten, der, -s, - deep
    (*or* cast) shadow
schlank slim
schlecht bad, worn, wretched
schleichen, (sich), i,i, sneak
    in(to)
Schleier, der, -s, - veil
Schleppe, die, —, -n trail (of
    dress)
schleppen drag, lug
schlicht plain, primitive, simple
schließen, o, o close, conclude,
    end, finish, shut; sich - close
schließlich finally
schlimm bad
schluchzen sob
schlürfen shuffle
Schluß, der, -es, ̈e end, finale
schmal narrow
schmeicheln flatter
schmiegen, sich nestle
schmutzig dirty
Scholle, die, —, -n clod (of
    earth)
schon already, anyway, by now,
    this very moment; *often not
    to be translated*
schön beautiful
Schönheit, die, —, -en beauty
schöpfen fill into
Schöpfung, die, —, -en creation
Schoß, der, -es, ̈e lap

schräg with sloping ceiling
Schrank, der, -(e)s, ̈e cabinet,
    closet, cupboard
Schraube, die, —, -n screw
Schrecken, der, -s, - horror
schrecklich horrible, terrible
schreiben, ie, ie write
Schreibtisch, der, -(e)s, -e writ-
    ing-desk
schreien, ie, ie shout
schreiten, schritt, geschritten
    stride, walk
Schrift, die, —, -en manuscript,
    (hand)writing
Schritt, der, -(e)s, -e step, tread
Schuld, die, —, -en debt, fault,
    guilt; in jemandes - sein be
    indebted to
schuld sein an to be blamed
    for
Schulter, die, —, -n shoulder
Schuß, der, -es, ̈e shot
Schüssel, die, —, -n dish
Schuster, der, -s, - cobbler,
    shoemaker
schütteln shake
schütten pour
Schutzdecke, die, —, -n antima-
    cassar, tidy
Schwabing name of suburb of
    Munich
schwach feeble, weak
schwächlich weakly
Schwager, der, -s, ̈ brother-in-
    law
schwanger pregnant
schwanken be in balance, be
    undecided, sway, waver
schwarz black
Schwarz, das, -en blackness

schweben float
schweigen, ie, ie, be silent; -d silent
schweigsam taciturn
Schweigsamkeit, die, - reticence, silence, taciturnity
Schwelle, die, —, -n threshold
schwenken swing, wave
schwer difficult, grave, hard, heavy, sombre, with difficulty; mighty; - fallen be hard on
Schwere, die, —, -n gravity, weight
Schwester, die, —, -n sister
schwindelnd dizzy
Schwinge, die, —, -n swing, wing
Schwung, der, -(e)s, ͤe swing
See, der, -s, -n lake
See, die, —, -n ocean, sea
Seele, die, —, -n soul
sehen (ie),a,e see, look; vom - by sight
Sehkraft, die, —, visual power, sight
sehnen, sich, long for
Sehnsucht, die, —, ͤe desire, longing
sehr much, very
seicht flat, shallow
Seide, die, —, silk
Sein, das, -s being, existence
seit for, since
Seite, die, —, -n page, side
seither ever since, since then
Sekunde, die, —, -n second
selbe, der(die,das) same
selbst even, -self
selbständig existent for oneself, independent

selbstverständlich natural, of course, taken for granted
selig blessed
selten exceptional(ly), rare, seldom
seltsam queer, strange(ly)
senden,sandte,gesandt *and* sendete, gesendet send
senken bow, lower
Sessel, der, -s, - arm-chair
setzen put, set; sich - sit down
Sichbesitzen, das, - poise, self-possession
sicher confident, secure, sure
Sicherheit, die, —, -en confidence
sichtbar visible
sichtlich obvious, visible
Silber, das, -s silver
silbergestickt silver-embroidered
silbern (of) silver, silvery
Silberstück, das, -(e)s, -e silver coin
Sinn, der, -(e)s, -e disposition, meaning, sense, purpose; - haben be of importance; eines -es congenial
sitzen,saß,gesessen sit
Skizze, die, —, -n sketch
Sklaverei, die, slavery
so as, in a way, thus, this way; - einer such a person
sobald as soon as
sofort at once
sogar even
sogenannt so called
Sohn, der, -(e)s, ͤe son
solang *i.e.* so lange
solch such; einen -en any such

sollen, be said, be supposed, be to

somit herewith

sommers in summer

sonderbar peculiar, strange

Sonderling, der, -(e)s, -e character, eccentric person

sondern but

Sonne, die, —, -n sun

Sonnenstrahl, der, -(e)s, -en sunbeam

Sonntag, der, -(e)s, -e Sunday

sonst else, otherwise, usually

sooft *i.e.* so oft

Sorge, die, —, -n sorrow

sorgfältig thorough(ly)

sorglos careless, unconcerned

soviel as far as, as much

sozusagen quasi, so to speak

Spanien, -s Spain

sparen save, spare

spät late

Spaten, der, -s, - spade

Speise, die, —, -n food

Spiegel, der, -s, - mirror

spiegeln mirror, reflect

Spiel, das, -(e)s, -e game, play

spielen play, take place

Spielgefährtin, die, —, -nen playmate *f.*

spitz pointed

Spitze, die, —, -n tip, top

spitzen purse

spitzig sharp

Sprache, die, —, -n language

sprechen (i),a,o speak

spreizen spread out

springen, a, u bound, jump

Spur, die, —, - en trace

spüren feel

Staat, der, -(e)s, -en state

Stadt, die, —, ̈e city, town

Stadtpark, der -(e)s, -e municipal park

Stadttor, das, -e)s, -e city-gate

Stadtvater, der, -s, ̈ city-father; *plur.* municipal authorities

Staffelei, die, —, -en easel

Stamm, der, -(e)s, ̈e trunk

stammeln stammer

stammen be taken from, come from

Standpunkt, der, -(e)s, -e angle, point of view

Stange, die, —, -n rod

stark, much, strong

Stärke, die, —, strength

starren stare; **hinab-** stare down

statt instead of

Stätte, die, —, -n place

statt-finden＊ take place

statutengemäß statutorily

Staub, der, -(e)s dust

staubig dusty

staunen be astonished, wonder

Staunen, das, -s astonishment

stecken stick

stehen,stand,gestanden be, be placed, stand; - **bleiben**＊ stop

steif stiff

steigen, ie, ie ascend, climb, descend (from), go up

steil abyssmal, steep, straight, tall

Stein, der, -(e)s, - e stone; **aus** - (of) stone

steinern of stone

Stelle, die, —, - n circle(s), passage, place, spot

Steppe, die, —, -n steppe, treeless (Russian) plain

sterben (i),a,o die

Sterblichkeit, - mortality
Stern, der, -(e)s, -e star
Sternchen, das, -s, - asterisk, little star
Sternennacht, die, —, ⁄e starry night
Stiefel, der, -s, - boot
Stil, der, -(e)s, -e style
Stille, die, - quiet, silence, stillness
stillschweigend silently
Stimme, die, —, -n voice
stimmen put into a particular mood
Stimmung, die, —, -en mood
Stirn(e), die, —, - (e)n forehead
stöbern rummage
Stock, der, -(e)s, ⁄e cane, stick; *plur.* -werke *see next word*
Stockwerk, das, -(e)s, -e floor, storey
Stoff, der, -(e)s, -e material, subject
stöhnen groan
Stolz, der, -(e)s pride
stolz proud
stören annoy, disturb, interrupt
stoßen (ö),ie,o an touch
Strafe, die, —, -n chastisement
strahlen beam, radiate; -d radiant
Straße, die, —, -n street
Straßenbettel, der, -s streetbegging
Strauch, der, -(e)s, ⁄er bush, shrub
streben strive
strecken, (sich), stretch
streifen brush against
Streit, der, -(e)s, -igkeiten quarrel

streng severe, stern, strict
strömen stream
Strophe, die, —, -n stanza
Stube, die, —, -n chamber, room
Stück, das, -(e)s, -e piece; ein -chen a little, part
Stufe, die, —, -n step
Stuhl, der, -(e)s, ⁄e chair
stumm mute
Stunde, die, —, -n hour
stürzen fall, hurl, be thrust
stützen support
suchen search, seek, try; sich etwas - look for
südlich south(ern)
Sünde, die, —, -n sin
sündig sinful
süß sweet

T

tadellos faultless
Tag, der, -(e)s, -e day; am -e in the daytime; bei -e in the daytime
tagelang for (whole) days
Tagereise, die, —, -n day's journey
täglich daily
Takt, der, -(e)s, -e measure, time
Tal, das, -(e)s, ⁄er valley
Tanz, der, -(e)s, ⁄e dance
tanzen dance
tapfer brave
Tapferkeit, die, - bravery, gallantry
tappen grope
Tasche, die, —, -n pocket
Tasse, die, —, -n cup
tasten grope

Tat, die, —, -en deed; **in der -** indeed

Tätigkeit, die, —, -en activity

Tatsache, die, —, -n fact

tatsächlich actually, in fact

taub deaf

tauchen dive (into)

Taufe, die, —, -n baptism

taumelnd giddy

täuschen cheat, deceive

technisch technical

Tee, der, -s tea

Teeglas, das, -es, ⁀er teacup

Teich, der, -(e)s, -e pond

Teil, der (*or* das), -(e)s, -e part; **für meinen -** as far as I am concerned

teilen share

Teilnahme, die, - interest, pity

teil-nehmen* join, participate

teilweise in parts, partly

Teller, der, -s, - plate

Teppich, der, -(e)s, -e carpet

teuer dear, expensive

Teufel, der, -s, - devil

Thema, das, -s, -ta *and* **Themen,** subject

tief deep, into the depth, low, profound, sound; **-er unten** further down

Tiefe, die, —, -n depth, profundity

Tier, das, -(e)s, -e animal

Tinte, die, —, -n ink

Tisch, der, -(e)s, -e table

Titelblatt, das, -(e)s, ⁀er title-page

Tochter, die, —, ⁀ daughter

Tod, der, -(e)s, -e death

tollen frolic, romp about

Ton, der, -(e)s, ⁀e sound, tone

Tonne, die, —, -n ton

Tor, das, -(e)s, -e door, gate, porch (of church)

Tor, der, -en, -en fool

Torgang, der, -(e)s, ⁀e doorway

torig like a gate

Torweg, der, -(e)s, -e doorway

tot dead

Totengräber, der, -s, - grave-digger

träge lazy

tragen (ä),u,a bear, carry, wear

Tragkraft, die, —, sustaining power

trauen trust

träumen dream

traurig sad

Traurigkeit, die, - grief, sadness

treffen (i),a,o hit, meet; **sich so - daß** happen; **-d** striking, to the point

treiben, ie, ie drift, work (*p.p.* wrought)

trennen distinguish, separate; **sich -** part

Treppe, die, —, -n staircase; **drei -n** on the fourth floor

treten (i),a,e step

Treue, die, - loyalty

trinken,a,u drink

trippeln trip

triumphieren triumph; **-d** triumphantly

trocken dry

Tropfen, der, -s, - drop

trostlos hopeless

Trotz, der, -es spite; **zum -** in spite of

trotz *w. gen, and dat.* in spite of

trotzdem in spite of that, nevertheless, though

trotzig stubborn

trübe dreary

Trunk, der, -(e)s intoxication

trunken intoxicated

Trupp, der, -s, -s troup

tüchtig efficient, excellent

Tugend, die, —, -en virtue

tun,tat,getan act, do; **- als ob** act as if, pretend

Tür, die, —, -en door

Türklinke, die, —, -n door-handle, latch

Turm, der, -(e)s, ⁔e (bell)tower, campanile

türmen pile

U

über about, above, beyond, on top of, over, upon; -. . . **fort** beyond; -. . . **hinaus** passing

überall everywhere

überaus extremely, very

überbringen* bring, hand over

überdenken* think over

überdies in addition

übereinander-schieben,* sich, be put (in layers) on top of e.o. (*or* one another)

überein-kommen* agree

Überfall, der, -(e)s, ⁔e assault, attack

überfallen* overcome

Überfluß, im, more than enough, plenty

überflüssig not needed, superfluous

überfüllt crowded

übergehen* pass

über-gehen* (zu) change to

überhaupt actually, altogether, anyway; **- nicht** not at all

Überhebung, die, - presumption

überholen get ahead of, outstrip, pass

überkommen* overcome

überladen* (over)burden

überlassen* entrust, leave to

überlegen meditate, think about; *adj.* superior

übermalen cover (one painting by another)

Übermaß, das, -(e)s enormous (gigantic) proportions

übermäßig excessive, extreme

übermitteln convey, transmit

Übermut, der, -(e)s impertinence

übernehmen* take over

überraschen surprise

überschauen overlook, survey

übersetzen translate

Übertreibung, die, —, -en exaggeration

überzeugen, (sich), convince (o.s.)

üblich customary, usual

übrig left; **-bleiben*** be left; **im -en** as for the rest; **-lassen*** leave (over)

übrigens by the way

uferlos boundless, infinite

Uhrenschlagen, das, -s striking of clocks

um about, after, around, at; -. . . **willen** for the sake of; -. . . **zu** in order to

umarmen embrace

umgeben* surround

Umgebung, die, —, -en neighborhood, surroundings
umher about, around
umher-irren roam about, wander
umher-schauen look around
um-kehren turn (about)
Umkreis, im, within a radius (of)
umkreisen circle around
um-nehmen° put on
umrahmen frame
umringen surround
Umsicht, die, - foresight
um-siedeln move
umso *w. comp.* all the (more)
Umstand, der, -(e)s, ⸚e circumstance; **unter** ⸚en possibly, under certain circumstances
um-wenden,° sich, turn (about)
um-werfen° knock down, upset
um-ziehen° move
unabhängig independent
unablässig continually
unangenehm disagreable, unpleasant
unbedeutend unimportant
unbefangen without any embarrassment
unbegreiflich inconceivable
unbeirrt unswerving
unbekannt unknown
unbequem uncomfortable
unbeschädigt not harmed
unbeschreiblich beyond description
unbestimmt uncertain, vague
Unbeweglichkeit, die, - immobility
unbewußt unconscious
undeutlich indistinct

unecht not genuine, imitation
unendlich infinite
Unendlichkeit, die, —, en the infinite (space)
unentbehrlich absolutely necessary
unerhört unheard of
unermeßlich immeasurable, immense
Unermeßlichkeit, die, - immensity, vastness
uneröffnet unopened
unerwartet unexpected
unfertig unfinished
Ungeduld, die, - impatience
ungeduldig impatient
ungefragt unasked
Ungeheuer, das, -s, - monster
Ungehorsam, der, -s disobedience
ungemein immensely
Ungerechtigkeit, die, —, -en injustice
ungern reluctantly; - **haben** dislike (to have)
ungeschickt awkward
ungewiß uncertain, unreliable, vague
Ungewißheit, die, —, -en uncertainty
ungewöhnlich extraordinary
ungläubig incredulous
ungleich different, unequal, varying; a great deal, by far; *w. comp.* incomparably (more)
Unglück, das, -(e)s misfortune
Unheil, das, -(e)s disaster
Unmenge, die, —, -n lot, plenty
unnatürlich unnatural
Unordnung, die, - disorder

Unrecht, das, -(e)s wrong
unrecht wrong
Unruhe, die, -, -n commotion, unrest
unruhig restless
unschön unattractive
unschuldig innocent
unsicher shaky, timid, unsteady
Unsinn, der, -(e)s nonsense
unten below, beneath, down (there)
unter among, beneath, under (neath) from; *adj.* lower, lower part
unterbrechen* interrupt
unterdrücken suppress
unter-gehen* be destroyed, sink
unterhalten,* sich, talk
unterlassen* fail to do
Unterricht, der, -(e)s instruction
unterrichten inform, instruct
unterscheiden* discriminate, distinguish, divide, separate; sich - be different, distinguish o.s.
Unterschied, der, -(e)s, -e difference
unterstellt subject to
unterstützen help
unterwegs on the way
unterziehen* sich, pass, undergo
ununterscheidbar indistinguishable
unverändert unchanged
unverfänglich harmless
unverhältnismäßig disproportionally, excessively
unvermerkt gradually, imperceptibly

unversehens involuntarily, unexpectedly
unversehrt, safe, unharmed
unverständlich incomprehensible
unwichtig unimportant
unwiderlegt not refuted
unwillkürlich automatically, involuntarily
unwürdig undignified
Unzahl, die, - great number, no end of
unzählig innumerable
unzugänglich unaccessible
unzweifelhaft undoubtedly
Ursprung, der, -(e)s origin

V

Väterchen, das, -s, - dear (*or* little) father
Vaterstadt, die, —, ⸗e native town
Vaterunser, das, -s, - Lord's Prayer
Venedig, -s Venice
venezianisch Venetian
verabschieden, sich, say goodbye
verachten disdain
verächtlich contemptible, contemptuous
verändern alter, change
verarmen become poor
Verband, der, -(e)s, ⸗e club, society
verbannen banish
verbergen (i),a,o hide
verbessern correct
Verbeugung, die, —, -en bow

Verbindung, die, –, -en connection, union; sich in - setzen get in touch
verblassen fade
verbleiben* be left, remain
verbrauchen consume, use up
verbreiten, (sich) spread
verbrennen* burn
verbringen* spend
verdächtig suspicious; - sein arouse suspicion
verdammt damned
verderben (i), a,o, spoil
verdienen earn
verdrängen shut out
verdrießlich annoyed, ill-humored
verdunkeln, sich, be darkened, cloud
verehren worship; *p.p. in letterhead* my dear
Verein, der, -(e)s, -e club, organization, society
vereinen unite
Vereinsgenosse, der, -n, -n member of the same club
Vereinsleben, das, -s activities in club
Vererbung, die, –, -en heredity
Verfall, der, -(e)s degeneration
verfluchen curse
Verfolgung, die, –, -en pursuit
Vergangenheit, die, –, -en past
vergeben* forgive
vergehen* pass
vergessen (i),a,e forget
vergeßlich forgetful
Vergeßlichkeit, die, - forgetfulness
Vergißmeinnicht, das, -s, - forget-me-not

Vergleich, der, -(e)s, -e comparison, metaphor, parallel
vergleichen* compare
Vergnügen, das, -s, - joy, pleasure
Vergnügungsreise, die, –, -n pleasure trip
vergolden gild
Vergünstigung, die, –, -en favor
verhalten,* sich, act, behave
Verhältnis, das, -ses, -se, circumstance, relationship
verhandeln discuss
verhehlen conceal
verheiratet married
verhindern prevent
verhüllen cover, hide, veil
verjagen chase away
verkaufen sell
Verkehr, der, -(e)s social intercourse
verklingen* die away
verknüpfen associate
Verkünder, der, -s, - apostle, prophet, spokesman
Verlag, der, -(e)s, -e publishing house
verlangen claim, demand, order, require
verlassen* abandon, leave; sich - auf rely upon
Verlauf, der, -(e)s, (further) development; nach - after (a period of)
verlaufen* end, flow away, take a certain course, take place
verlegen embarrassed
Verlegenheit, die, –, -en embarrassment, perplexity

verleihen, ie, ie bestow upon
verlieren, o, o lose; verloren gehen get lost
verlohnen, sich, pay
verlöschen,o,o be extinguished
vermehren, (sich), increase
vermeintlich alleged, seeming, supposed
vermissen miss
Vermittler, der, -s, - intermediary
vermöchte *past subj.* vermögen
vermögen (a), vermochte, vermocht be able
Vermögen, das, -s, - power
vermuten suppose
Vermutung, die, —, -en conjecture
vernachlässigen neglect
vernehmbar perceptible
vernehmen* hear, learn
verneigen, sich, bow
vernünftig reasonable
veröffentlichen publish
Verpflichtung, die, —, -en duty, obligation
verqualmt filled with smoke
Verrat, der, -(e)s disloyalty, treachery
verraten* betray, reveal
verreisen take a trip
verrücken displace, move
versammeln assemble, gather
versäumen miss; sich - linger
verschaffen procure
verschenken give away
verschieden different, various; -e several; -es various things
verschließen* lock
verschulden be guilty of, commit

verschweigen* keep secret, refrain from telling
verschwinden, a, u disappear, vanish
versinken,a,u sink
versöhnen reconcile
Versöhnung, die, —, -en reconciliation
versorgen support, take care of
verspäten, sich, be late
versprechen,(i),a,o promise
verständig clever, sensible
verständigen, sich, understand e.o.
verständlich comprehensible, understood
verständnisvoll understanding
Verstecken, (das), -s hide-and-go-seek
verstehen* know, understand; sich von selbst - be natural
verstellen block
versterben* die
verstimmt in bad humor, out of tune
verstummen become silent
Versuch, der, -(e)s, -e attempt
versuchen tempt, try
vertiefen, sich, be absorbed
vertrauen, (sich), confide (in)
Vertrauen, das, -s confidence, trust
vertraulich confident(ially), familiar, intimate
vertreten* represent
vertrösten comfort, hold out hopes
verwahren, sich, deny, protest
verwandeln, sich, be transformed

verwandt familiar, (closely) related, kindred, similar

Verwandte, der(die), -n,-n relative, relation

Verwandtschaft, die, —, -en relation(ship)

verwaschen discolored, washed out

verwehren withhold

verwelken fade

verwendbar useful

verwickeln entangle; sich - get mixed up

verwildern grow wild, become wilderness

verwirren confuse, embarrass

Verwirrung, die, —, -en, confusion

verwunderlich amazing, queer

verzagen despair

verzehren consume; sich - be consumed

verzeihen, -ie, ie forgive

verzichten renounce

verziehen,* sich, disperse, move away

Verzögerung, die, —, -en delay

Verzückung, die, —, -en ecstasy

verzweifeln despair

Vesper, die, —, -n evening-service

Vieh, das, -(e)s cattle

viel much; -e many; -es many things; um -es much

vielhundert several hundred

vielleicht perhaps

vielmehr rather

Vielseitigkeit, die, - manysidedness

vier four

vierseitig having four pages

Vierte(i)l, das, -s, -(e) quarter

Vogel, der, -s, ⁔ bird; leichter - reckless fellow

Vögelchen, das, -s, - little bird

Vogelscheuche, die, —, -n scarecrow

Volk, das, -(e)s, ⁔er nation, people

voll, complete, full, perfect

vollenden complete, finish

vollends all the more, altogether, completely

Vollendung, die, - completion, perfection

vollführen accomplish, perform

vollkommen complete, perfect

vollständig complete

vollziehen,* sich, be fulfilled

voneinander *i.e.* von einander

vor ago, before, in front of, out of, with

voran-gehen* precede

voran-sein anticipate

voraus-schicken mention before, say preliminarily

voraus-setzen assume

vorbei by, gone, past

vor-bereiten prepare

vor-beugen forestall

Vorbild, das, -(e)s, -er model, original

voreinander *i.e.* vor einander

Vorfahr, der, -en, -en ancestor

Vorfall, der, -(e)s, ⁔e incident, occurrence

Vorgang, der, -(e)s, ⁔e event, occurrence

vor-haben plan

vorhanden existent, present; - sein be, exist

vorher before

vorher-gehen* precede

vorhin before

Vorhof, der, -(e)s, "e front court (*or* yard)

vor-kommen* appear, happen, occur, be mentioned, seem

vorn in the front

vor-nehmen,* sich, plan

vornüber-fallen* lassen,* sich, prostrate

Vorrat, der, -(e)s, "e provisions

Vorschein; (zum—kommen) appear

vor-schieben* push, shoot (bolt)

Vorschlag, der, -(e)s, "e offer, proposal

vor-schlagen* propose, suggest

Vorschrift, die, —, -en regulation

vorsichtig cautious

Vorstand, der, -(e)s, "e board

Vorstandsmitglied, das, -(e)s, -er member of the board

vor-stellen, sich, imagine; - unter understand by

Vorstellung, die, —, -en idea, imagination

vorteilhaft attractive

vorüber by, past, passing

vorüber-eilen fly past, hurry by

vorüber-kommen* pass

vorüber-laufen* run by

vorüber-reiten* ride by (on horseback)

Vorwand, der, -(e)s, "e excuse, subject

vor-werfen* reproach

Vorwurf, der, -(e)s, "e reproach, subject

vor-ziehen* prefer

W

wach awake, sleepless, wakeful

wach-rufen* awake, produce

Wachsein, das, -s wakefulness

wachsen, (ä) u,a grow, increase; -d increasingly swelling

Waffe, die, —, -n weapon

wagen dare

Wagen, der, -s, - car, coach

Waggon, der, -s, -s (railroad) car

Wahl, die —, -en choice

wählen choose

wahllos at random

Wahnsinn, der, -(e)s insanity

wahnsinnig insane, mad(ly)

wahr real, true; nicht -?, isn't it so?

während during, while

wahrhaft(ig) in reality, really

Wahrhaftigkeit, die, - truth(fulness)

Wahrheit, die, —, -en truth

wahrscheinlich probably

Wald, der, -(e)s, "er forest, woods

waldig silvan, wooded

Waldrand, der, -(e)s, "er edge of woods

wallen float, wave

walten rule; - über control

Wand, die, —, "e wall

wandeln stride; sich - change

Wanderung, die, —, -en stroll

Wandlung, die, —, -en change, transformation

wann when

Wärme, die, —, -n warmth

warten(auf) wait (for); -d expectant

Wartesaal, der, -(e)s, *plur.* Wartesäle waiting-room

warum why

was what; - auch whatever; - für ein what a

Wasser, das, -s, - water

Wasserrose, die, —, -n pondlily

wechseln exchange

Weg, der, -(e)s, -e walk, way, path, road

weg-nehmen* take from

weg-schrecken frighten away

weh(e)n flap, waft, whir

weh-tun* hurt

Weib, das, -(e)s, -er female, wife, woman

weich soft

Weide, die, —, -n willow

weihen sanctify

Weile, die, - while

Wein, der, -(e)s, -e wine

Weinberg, der, -(e)s, -e vineyard

weinen weep

weise wise

Weise, die, —, -n fashion, way

weisen, ie, ie point, show

weiß white

weit broad, far, wide, vast; bei -em by far; -er further more; -er etwas tun continue (to do); ohne -eres without ado (*or* preliminaries)

weiter-erzählen report, retell

weiter-sagen tell others

welk dead, faded, shriveled

Welle, die, —, -n wave

Wellenschlag, der, -(e)s breakers, succession of waves

Welt, die, —, -en world

Weltgegend, die, —, -en chief point of the compass, direction

wenden,wandte,gewandt turn; sich - an address, turn to

wenig little; ein -(es) a little; -er less; -e few; -stens at least

wenn if, when; - schon even if

werben (i),a,o woo

werden (wirst),u (ward),o become, be born, come into existence; *impers. w. dat.* feel

werfen (i) a,o bandy, cast, sling, throw

Werk, das, -(e)s, -e project, work

wert worthy

Wert, der, -(e)s - value, wealth, worth

Wesen, das, -s, - being, creature

weshalb why

wetten bet

wichtig important

Widerrede, die, —, -n objection

Widerspruch, der, -(e)s, ⁔e contradiction; in - stehen be inconsistent with

Widerstreit, der, -(e)s conflict

widmen dedicate, devote

wie as, as though, how, like; - denn erst much less (*or* more)

wieder again, once more

wieder-berichten repeat, retell

wieder-erzählen repeat

wieder-finden* find (again)
wiederholen repeat; sich - reappear
Wiederholung, die, —, -en repetition
wieder-kommen* return
wieder-lieben return love
wieder-sehen* see again
Wiedersehen, das, -s reunion; auf - until we meet again, good-bye
wiegen rock, sway
Wiese, die, —, -n meadow
wieso why
wieviel(e) how much (many), what ever
Wildnis, die, —, -se wilderness
willen, um, for the sake of, on account of
windlos windless
winken beckon
winters in winter
winzig tiny
Wipfel, der, -s, - top
wirken affect, have an effect, impress
wirklich real(ly)
Wirkung, die, —, en effect
wissen (weiß) wußte, gewußt know; Bescheid - be informed
Wissen, das, -s knowledge
Witwengut, das, -(e)s, ⁀er widow's share
Witz, der, -es, -e joke
wobei whereby
Wochentag, der, -(e)s, -e weekday
wogen roll
woher (from) where, whence
wohin where(to), whither

wohl probably, well
wohlbekannt well known
wohlgefällig pleased, pleasing
wohlgesetzt adroit, skilful, well composed
Wohltäterin, die, —, -nen benefactress
Wohlwollen, das, -s kind feeling; - entgegen-bringen* be kind to
wohnen live, reside
Wohnstube, die, —, -n living-room
Wohnung, die, —, -en apartment, living-quarters
Wolke, die, —, -n cloud
wolkig cloudy
wollen (will,willst,will) want, be willing to, be going to
womit with what
woran on what, where
worauf whereupon
Wort, das, -(e)s, -e (*and* ⁀er) word; zu -e kommen lassen give a chance to talk
wörtlich literal
wovon on what, on(of) which
Wucht, die, —, -en violence, weight
wühlen dig
Wunde, die, —, -n sore, wound
Wunder, das, -s, - wonder
wunderbar miraculous, wonderful
wunderlich amazing, queer
Wunderlichkeit, die, —, -en queer whimsicality
wundern, sich, be astonished, wonder
Wundertäter, der, -s, - miracle-worker

Wunsch, der, -(e)s, ⁓e desire, wish

wünschen wish

Würde, die, —, -n degree, dignity, rank, title

Wurm, der, -(e)s, ⁓er worm

Wurzel, die; —, -n root

Wüstling, der, -s, -e debauchee, roué

Z

zählen count, number; **siebzehn Jahre** - be seventeen years old

zahllos innumerable

zahlreich abundant, copious, numerous

zahm humble, meek, tame

Zar, der, -en, -en Tsar, Russian Emperor

zart delicate

Zärtlichkeit, die, —, -en affection, tenderness

Zaun, der, -(e)s, ⁓e fence

Zaunlatte, die, —, -n picket

Zeichen, das, -s, - sign; - am **Wege** sign-post

Zeigefinger, der, -s, - forefinger, index

zeigen demonstrate, point, show, **sich** - appear

Zeile, die, —, -n line, verse

Zeit, die, —, -en period, time, while; **eine** - **lang** for a while; **in der letzten Zeit** lately

zeitlich earthly, worldly

Zeitung, die, —, -en newspaper

zerbrechen* go to pieces

Zeremoniell, das, -s, system of ceremonies

zerfließen,o,o disperse, dissolve

zerren pull, tug

zerschlagen* break (to pieces)

zerspringen* blast, burst, crack

zerstören destroy

zerstreuen distract; **sich** - disperse

zerstreut absent-minded

Zerstreutheit, die, - absent-mindedness

Zeuge, der, -n -n witness

zeugen prove, show

ziehen,zog,gezogen draw, move, pull, wander; **den Hut** - take off one's hat

Ziel, das, -(e)s, -e aim, goal

ziemlich fairly, quite (a), rather

zieren adorn

Zimmer, das, -s, - room

Zimmernachbar, der, -n -n neighboring roomer

zimmern build, carpenter, hew

Zitrone, die, —, n lemon

zittern quiver, tremble

zögern hesitate

Zorn, der, -(e)s anger, fury

zornig angry, irate

zu to, too, toward

zucken quiver; **mit den Achseln** - shrug one's shoulders

Zucker, der, -s sugar

zuerst (at) first

Zufall, der, -(e)s, ⁓e chance

zufällig by chance

Zuflucht, die, —, -en refuge

zufrieden content, pleased

Zug, der, -(e)s, ⁓e feature, train

zu-gehen* happen; - **auf** walk toward

zugleich at the same time

zu-halten° cover; **sich die Ohren** - put one's fingers into the ears
zu-hören listen
Zuhörer, der, -s, - listener
zukünftig future, yet to come
zu-laufen° auf run up to
zuletzt at last, finally
zumal (ja) especially as
zumute sein *impers. w. dat.* feel
zunächst at the moment, close by, first, next
zunichte machen destroy
zunichte werden° perish
zurück back(wards)
zurück-bleiben° lag behind
zurück-geben° return
zurück-gehen° return, degenerate
zurückgezogen in retirement
zurück-halten° keep from doing; -d discreet, reserved
zurück-kehren return, turn about
zurück-kommen° come back, resound
zurück-lassen° leave behind
zurück-lehnen, (sich), lean back
zurück-schieben° push back
zurück-weichen,i,i recede
zurück-weisen° rebuke, refuse
zurück-wenden,° sich, turn back
zurück-ziehen,° sich, retire, retreat, withdraw
zu-rufen° call to
zusammen together
zusammen-brechen° collapse
zusammen-flechten (i),o,o clasp, fold

zusammengenommen altogether
zusammen-halten° stick together
Zusammenhang, der, -(e)s, ⍾e connection
zusammen-kommen° meet
zusammen-pressen close tightly, press, tighten
zusammen-ziehen° frown
zu-schauen watch
zu-schlagen° bang, shut with a bang
zu-sehen° *w. dat.* watch
Zustand, der, -(e)s, ⍾e state
zustande-kommen° be accomplished, materialize
zuteil werden° *w. dat.* be granted
zuverlässig reliable
zu-werfen° slam
Zwang, der, -(e)s restraint; **sich keinen - auferlegen** be informal
zwängen force
zwar although, indeed
Zweck, der, -(e)s, -e purpose
zweckmäßig expedient, practical
Zweifel, der, -s, - doubt
zweifeln an doubt
zweijährig of two years; **-es Bestehen feiern** celebrate the second anniversary
zweimal twice
Zwerg, der, -(e)s, -e dwarf
zwingen,a,u, compel, force, press
zwischen between
zwölf twelve
zwölfsaitig twelve-stringed